1

Himmlisches Fegefeuer

Die Geschichte
eines halben Engels

Fantasy-Roman
von Jutta Kugel

Herstellung und Verlag:

BoD – Books on Demand,
Norderstedt

Bibliografische Information der
Deutschen Nationalbibliothek:

Die Deutsche Nationalbibliothek
verzeichnet diese Publikation in
der Deutschen Nationalbibliografie;
detaillierte bibliografische Daten
sind im Internet über http://
dnb.dnb.de abrufbar.

ISBN: 978-3-7460-6406-2

1. Auflage
Juli 2019

Vorwort

Neria ist die Tochter eines Engels und einer menschlichen Frau.

Sie ist genauso im Himmel zuhause, wie auch bei ihrer Mutter in der menschlichen Welt.

Und Taruk, der große, magische Wolf ist seit Kindertagen ihr bester Freund, ebenso die kleine Fee Feadona. Luzifer findet sie höchst interessant und die germanische Götterwelt ist ihr ebenfalls auf den Fersen.

Und jetzt, da der Teufel in Not ist und ausgerechnet die Hilfe von Neria braucht, laufen alle Fäden bei ihr zusammen. Diese ist natürlich alles andere als entzückt. Denn ihre Familie hat mit dem Teufel & Co. nicht gerade die besten Erfahrungen gemacht.

Klar, dass Neria`s Vater Sally und ihre Mutter Glöckchen – und vor allem ihre Patentante Sannoo – nicht begeistert sind, als Luzifer`s Hilferuf erschallt. Denn dass dies nichts Gutes verheißt, ist allen klar.

Und es liegt Liebe in der Luft.

Lesen Sie die liebenswert haarsträubenden Abenteuer, die hereinstürmen auf alle Beteiligten.

Neria

Eigentlich sollte ich ja nur einen Flügel haben. Ich bin ja schließlich auch nur ein halber Engel, oder ein halber Mensch. Wie man`s nimmt.

Meine Mutter ist ein Mensch und mein Vater ein Engel. Und ich bin jetzt eben ein halber Engel. Als ich klein war, sagten sie Mengelchen zu mir. Ab einem gewissen Alter verdrehte ich die Augen, wenn sie mich so nannten und irgendwann hörte es auf.

Man sieht es mir nicht an. Ich sehe eigentlich ganz normal aus. Eigentlich. Auf die Menschen habe ich eine ganz besondere Anziehungskraft. Das liegt am halben Engel. Man kann sich vorstellen, wie anziehend mein Vater auf die Menschen wirkt.

Ich habe Prinzipien und genaue Vorstellungen, wie ich mein Leben gestalten möchte. Darin unterscheide ich mich nicht von anderen jungen Frauen. Und ich bin gelegentlich etwas halsstarrig. Genauso wie ich hin und wieder recht anstrengend bin. Tante Sannoo meint dazu, dass das ja logisch ist, wo ich mich ja in zwei Welten bewege und die Probleme aus beiden mitbringe und verbinde.

Ich sage das jetzt nur, weil es die Menschen genauso wie die himmlischen Engelscharen, inklusive Jesus und dem himmlischen Paps, so sieht. Also, dass ich anstrengend bin. Kann ich aber nichts dafür. Auch wenn Sannoo mit ihrer Vermutung recht hat, ändert das nichts am Resultat.

Meine Mutter schnaubt schon manchmal, wenn`s wieder anstrengend wird. Doch ich erkläre ihr dann immer augenzwinkernd, dass halt keiner perfekt ist. Auch ein halber Engel nicht. Dann lächelt sie milde und nimmt mich in die Arme.

Ich habe zwei schneeweiße Flügel, so flauschig und weich, dass ich echt ein wenig stolz auf sie bin. Natürlich muss ich sie oft verstecken. Wer würde das denn schon verstehen? Wenn ich „oben" unterwegs bin, bei meiner himmlischen Familie, sind sie immer sichtbar. Da brauche ich sie nicht zu verstecken.

So gesehen habe ich zwei Familien. Ich finde das klasse.

Die Flügel meines Vaters sind ebenso weiß, aber nicht ganz so mummelig und zart wie meine. Er sagt, wenn ich mal älter bin, werden meine auch ein wenig borstiger – das käme mit dem Alter. Da musste ich wirklich lachen, denn Engelsflügel werden niemals auch nur annähernd borstig sein. Mein Vater lachte übrigens genauso laut wie ich darüber. Er verschaukelt mich schon hin und wieder mal. Paps ist mit den Jahren recht menschlich geworden.

Ich habe meinen Vater einmal gefragt, wie alt er ist. Er meinte darauf leichthin, dass er schon vor langer Zeit aufgehört hat zu zählen. Schade. Wir feiern seinen Geburtstag jedes Jahr an einem anderen Tag, den er immer an Silvester festlegt. Das ist optional gesehen eine gute Lösung und ein wirklich einmaliges Arrangement.

Ob ich wohl auch so alt werden kann wie er? Meine Mutter – sie ist ja der Mensch in der Familie – verneint diese Frage und sagt stockernst, wenn, dann nur halb so alt. Eben nach dem Motto: halber Engel, halb so alt. Meine Mutter müsste eigentlich blond sein. Sie ist so naiv. Aber in diesem Moment hat sie mir lächelnd zugezwinkert.

Nur damit hier kein falscher Eindruck entsteht: ich habe die besten und liebsten Eltern, die man sich nur wünschen kann. Ich liebe sie von ganzem Herzen.

Meine Mutter ist optisch gesehen das volle Pralinchen. Sie ist relativ klein mit atemberaubenden Kurven. Sie hat Haare, die die Farbe eines Löwen haben und sie reichen ihr bis zur Taille. Ihr Gesicht ist ebenmäßig, mit Porzellanteint, fein geschwungenen Augenbrauen und langen, dichten Wimpern. Und ihr Mund ist mega. Voll rot, sinnlich und prall. Echt kein

Wunder, dass sich mein Vater in sie verliebt hat. Und meine Mutter ist eine verbale Überschwemmung. Es ist ganz selten, dass sie mit nur wenigen Worten auskommt.

Im Übrigen hat auch schon Loki, der wirklich gewiefte, germanische Gott der Intrigen und Arglist und auch Luzifer, der Held der Hölle, ein reges Interesse an meiner Mutter entwickelt. Die magischen Geschöpfe fahren wirklich voll auf sie ab. Könnte aber auch an ihrer langen und tiefen Freundschaft zu Sannoo, meiner Patentante, liegen. Die ist selbst ein wenig mit Magie ausgestattet. Vielleicht haftet deswegen das eine oder andere magische Staubkorn an meiner Mutter. Und ihr leckeres Äußeres tut ein übriges.

Mein Vater ist sehr groß und dunkelblond. Seine Haare reichen bis auf seine Schultern. Meistens sieht er aus, als wenn er vergessen hätte, am Morgen eine Bürste zu benutzen. Er wuschelt sich tagsüber recht häufig mit den Händen durch die Haare. Sein Name ist Salvator. Aber jeder nennt ihn Sally. Er ist ein Sunnyboy und wenn er lächelt schmilzt das Eis an den Polkappen.

Meine Mutter und mein Vater betreiben einen schicken Schuhladen, der „Himmel & Hölle" heißt. Wenn Paps im Laden ist, verkaufen sich die Schuhe wie warme Semmeln. Das liegt an seiner himmlischen Energie. Er strahlt Liebe aus und Wärme, sowie auch echtes Mitgefühl und er hat einen großartigen Humor. Da verkaufen sich die Schuhe fast von selbst. Er macht aber auch jedes Mal ein Ritual daraus. Da geht es dann nicht nur darum, Schuhe zu verkaufen, sondern um das Gefühl, die wunderbarsten Schuhe der Welt zu erwerben. Die weibliche Kundschaft des Schuhladens ist völlig dahin gerafft von ihm.

Meinen Vater interessiert die Aufmerksamkeit der Kunden nicht besonders. Er nimmt es meist mit einem Achselzucken zur Kenntnis und freut sich, wenn die Kasse des Schuhladens klingelt.

Lange, bevor ich geboren wurde, da hat der himmlische Paps meinen Vater zu meiner Mutter und Sannoo geschickt. Um auf sie aufzupassen.

Ja. Sannoo. Meine Mutter und sie kennen sich seit dem Kindergarten und sie sind beste Freundinnen ever.

Sannoo ist so ganz anders als meine Mum. Sie ist blond mit recht üppigen Proportionen und sie zieht die magischen Geschöpfe an wie ein Magnet. Meine Eltern haben mir viel aus der Zeit erzählt, als es mich noch nicht gab und als ich noch klein war.

Das sind aber ganz andere Geschichten und die würden echt Bücher füllen. Herr im Himmel – ich habe sie mir alle zig Mal erzählen lassen. Sie klingen wie Geschichten aus einem Fantasy-Roman. Doch ich kann Ihnen versichern, jedes Wort trifft den Nagel auf den Kopf.

Ich liebe Sannoo wie meine Eltern. Sie gehört zu uns und wir zu ihr. Aber sie ist bei weitem anstrengender als ich es je sein könnte. Sie ist ein wenig flapsig und manchmal fehlt ihr entschieden der gewisse Ernst. Aber mit ihr kann man wirklich was erleben. Deswegen liebe ich sie ganz besonders. Wahrscheinlich, weil ich ihr nicht ganz unähnlich bin. Auch mir fehlt die gewisse Vorsicht in manchen Situationen und auch meine Lippen sind schneller als mein Verstand. Wie man sich vorstellen kann, ist das nicht immer hilfreich.

Der Teufel höchstpersönlich gehört zu der illustren Gesellschaft, mit der meine Eltern und Sannoo verkehren. Nicht immer freiwillig, das schon. Den Tod und seine Frau zählen sie zu ihren Freunden und auf der Farm von Sannoo und Eligor leben Rübezahl und Wally, ein Mammut, was quasi Rübezahl`s Haustier ist. Desweiteren gibt es dort zwei Einhörner, eines davon ist überdurchschnittlich melancholisch und dann hat da auch noch Birdy, ein Wichtelmännchen, sein Zuhause gefunden.

Ich glaube Sie verstehen jetzt ein bisschen, wie ich das meine, wenn ich sage, dass Sannoo etwas anstrengend ist.

Ich habe ja noch nicht mal alle magischen Geschöpfe aufgezählt, die in das Leben von uns gepurzelt sind.

Ganz wichtig zu erwähnen ist noch der leuchtende Sandalenmann. Jeder nennt ihn hier so. Er holt im Laden immer wieder neue Sandalen, weil seine immer recht schnell durchgelaufen sind. Er sagt, er hat halt viele beschwerliche Wege zu gehen. Ich weiß genau, was er da meint, schließlich besuche ich ihn hin und wieder und er erzählt mir dann von seinen Wegen.

Ich sitze gerade gelangweilt im Schuhladen. Es ist Mittagszeit und Flaute. Keine Kundschaft weit und breit.

Mum und Dad haben mich gebeten, die Stellung zu halten, weil sie auf einen Sprung bei Sannoo auf der Farm sind.

Im Schuhladen riecht es nach Leder. Ich liebe diesen Geruch. Gerade als ich meine Nase in ein Paar rote Stiefeletten versenke, höre ich die Türglocke des Ladens, die ein hoheitsvolles, aber auch fröhliches „Halleluja" ertönen lässt.

Mit einem Ruck ziehe ich meine Nase aus dem Schuh und mein Blick wandert zur Tür.

Der Mann der vor mir steht, sagt mit einem süffisanten Grinsen im Gesicht:

„Jaja – jeder hat so seinen Drogen!" Seine Hände stecken links und rechts in seinen Hosentaschen.

Bevor ich etwas erwidere, schaue ich ihn mir von oben bis unten erst mal an.

Er sieht toll aus. Wirklich. Markantes Gesicht und dunkle Haare, blendend weiße Zähne und ein umwerfendes Lächeln. Er ist lässig gekleidet und hat etwas Unbekümmertes an sich. Nur seine Schuhe passen überhaupt nicht und könnten ein wenig Schuhcreme vertragen. Sie sehen aus, als hätte er eine Moorwanderung hinter sich. Und ich höre ihn in meinem Kopf lachen.

Wums. Okay. Meine Augen sind vernichtend auf ihn gerichtet und ich blaffe ihn an:

„Wer bist du?"

Und gleich noch hintendrein, ebenfalls recht unfreundlich:

„Raus aus meinem Kopf!"

Und im Hand um drehen verschließe ich meine Gedanken vor ihm.

Das ist eine Zusatzausstattung meiner Magie. Ich kann in Gedanken mit allen Geschöpfen (ich sage das bewusst so, denn nicht alle sind Menschen) kommunizieren – mit meinem Vater zum Beispiel – und ich kann auch die Gedanken der Normalos hören. Und ich kann mich dagegen auch abschotten. Was ich oft tue. Ich finde es so schon anstrengend genug, da brauche ich nicht noch die Gedanken der anderen. Aber zugegeben – manchmal ist es unterhaltsam und auch sehr nützlich.

„Nun mal halblang", sagt er „schließlich sind wir ja alte Bekannte!"

Das wüsste ich aber auch! Und um meine Erinnerung aufzufrischen, erzählt er mir etwas zögerlich:

„Dein Vater war bei mir … ähm … mal ein paar Jahre zu Besuch."

Er hat wenigsten den Anstand, bei seinen Worten in den Boden zu starren und rot zu werden. Und da sehe ich den kleinen weißgrauen Schippel Haare an seinem Hinterkopf. Das ist auch so eine Geschichte, wie er zu dem kam. Sannoo kann da eine Menge dazu erzählen.

Oh du heiliger Strohsack! Ich hatte ihn ganz anders in meiner Erinnerung abgespeichert. Naja. Egal. Auf jeden Fall bin ich fassungslos über seine Dreistigkeit.

Ich werfe die beiden roten Stiefeletten, die ich immer noch in der Hand halte, nacheinander mit einem Ruck auf ihn. Der erste verfehlt ihn knapp, weil er sich duckt, doch der zweite trifft ihn voll an der Stirn. Ich grinse breit.

Und Luz flucht. Aus seinen Ohren steigen ein paar Rauchwölkchen auf und er reibt sich die Stirn.

„Was für eine blöde Idee hierher zu kommen", faucht er mich an.

Ich gehe zielstrebig zur Tür und öffne sie für ihn. Fröhlich ertönt erneut das „Halleluja" unserer Türglocke.

„Dann verschwinde doch einfach wieder", mein Lächeln passt nicht zu meinen zusammen gekniffenen Augen.

Luz, der Teufel höchstpersönlich steht im Schuhladen und am liebsten würde ich ihm den Hals umdrehen. Diesem Nichtsnutz.

In meinen Eingeweiden ballt sich etwas zusammen, das eiligst meinen Hals hoch krabbelt und mir dann die Kehle zuschnürt.

Mein Vater war noch vor meiner Geburt von Luz auf die fieseste und gemeinste Art, die man sich nur vorstellen kann, von mir und meiner Mutter weggelockt worden. Luz hatte da ganz eigene, persönliche Interessen. So bin ich ohne Vater aufgewachsen.

Eine lange Geschichte. Die Gründe hierfür zu erläutern, würde jetzt viel zu lange

16

dauern und ehrlich gesagt, hatte ich nicht den Wunsch, dem Höllenbetreiber mehr Raum zu geben.

Mein Gesicht ist ebenfalls rot und ich bin stocksauer. Ich greife hinter mich und ziehe mein Schwert. Es bleibt verborgen, solange ich es nicht brauche. Wenn ich es aber ziehe, dann ist es sichtbar. Der Erzengel Michael hat es mir einst geschenkt und so wirklich gebraucht habe ich es noch nie. Und ich denke mir, jetzt ist der perfekte Moment, es endlich mal zu testen.

Ich halte das Schwert in meiner linken ausgestreckten Hand und gehe damit auf Luz zu.

Der weicht ein paar Schritte zurück und sagt „Ho ho … nun aber mal langsam", dann steht er mit dem Rücken am Schuhregal.

Langsam hebe ich die Schwertspitze hoch an seine Kehle. Das Schwert ist wunderschön und scharf. Leider habe ich nie den himmlischen Schwertschleifer kennen gelernt. Ein wahrer Meister seines Faches. Das ist klar. Ich piekse Luz damit ein wenig und sage mit kalter Stimme:

„Was willst du? Du bist nicht willkommen!"

Luz setzt sein breitestes Grinsen auf und versucht mit spitzem Zeigefinger die Klinge von seiner Kehle zu drücken, als das

„Halleluja" an der Tür schon wieder erschallt und mein Vater in die Vorstellung platzt.

Ich weiß, dass mein Vater besondere Antennen hat, vor allem was meine Mutter und mich betrifft. Aber es erstaunt mich doch etwas, wie schnell er da ist.

Mein Vater sieht ein wenig furchterregend aus. Ich sehe kleine Flämmchen, die ihn umgeben, wie eine Mauer. Sein sonst so gütiges und liebes Gesicht ist unbeweglich und seine Augen sind starr auf unseren ungebetenen Gast gerichtet.

Er nimmt mir energisch das Schwert aus der Hand und drückt es nun selbst auf die Haut von Luz. Die Flammen, die ihn umgeben, werden zu hellem Licht. Seine Flügel sind voll ausgefahren und sein Hemd hängt in Fetzen um seinen Oberkörper. Schade. Ich glaube, das war sein Lieblingshemd. Sein Gesicht ist erstarrt und seine Augen schießen helle Blitze auf den Teufel ab.

Auch Luz selbst trägt jetzt Horn und seine Augen glühen rot. Er geht in verbale Verteidigungsstellung. Und das heißt Rückzug.

„Ich geh ja schon!", quetscht er zwischen seinen Zähnen hervor.

In meinen Gedanken höre ich, wie er zu mir spricht:

„Ich will dir nicht schaden. Ehrlich. Auch deiner Familie nicht. Ich komme wieder, wenn die Bedingungen etwas neutraler sind. Es ist etwas passiert und ich brauche Hilfe." Luz setzt ein schiefes Grinsen auf und kräuselt seinen Mund dabei.

Das einzige, was mir hierzu einfällt, ist, dass ich Luz meinen Mittelfinger vor die Nase hebe. Wer jetzt glaubt, dass halbe Engel sowas nicht tun - sie tun es! Vielleicht ganze Engel nicht, das mag schon sein.

Mein Vater begleitet Luz, amüsiert über meinen erhobenen Mittelfinger – das Schwert immer noch auf ihn gerichtet – zur Tür. Dann sind wir allein.

Ich nehme mein Schwert zurück und setze mich auf einen Stuhl, der neben der Kaffeemaschine steht. In dem Moment kommt auch schon meine Mutter zur Tür herein gestürmt.

„Was ist denn hier los? Wer war das, der da eben zur Tür hinaus ging?"

Sie schaut von mir zu Paps und wieder zurück. Mein Vater schüttelt unmerklich den Kopf und ich weiß, er will meine Mutter nicht beunruhigen. Deswegen meint er unbekümmert:

„Habe mir gerade das Hemd zerrissen – war unvorsichtig mit den Flügeln."

Entschuldigend hebt er die Schultern etwas an und sein Mund lächelt.

Meine Mutter meint, er solle sich doch dann wohl mal umziehen, bevor neue Kundschaft kommt. Hoffentlich hat der hübsche Mann gerade eben nichts gesehen, meint sie grübelnd – und bei ihren Worten liegt ihre Stirn in Falten und sie hebt ihren Zeigefinger an den Mund.

Zu mir sagt sie nachdenklich:

„Der Mann eben kam mir bekannt vor."

Ich kann ihr kaum in die Augen schauen, denn ich schäme mich. Wir haben sie ja nicht angelogen, nein, das nicht. Wir haben ihr aber auch nicht die ganze Wahrheit gesagt. Aber sie hat mit Sannoo in der Vergangenheit so viel mit Luz durch gemacht, dass wir sie vor weiterer Konfrontation schützen wollen. So der Plan.

Energisch schnippt meine Mutter mit den Fingern und sieht mich lächelnd an. Sie hat das große Talent, sofort umzuschwenken, von einer Situation in eine andere.

Ich umarme sie fest und dann gehe ich.

Feadona

Als ich geboren wurde, so erzählte mir meine Mutter, erschien Feadona zum ersten Mal.

Sannoo und ich waren damals unterwegs und ich war ein Baby im Kinderwagen. Da tauchte Feadona auf und übergab Sannoo eine rote Trillerpfeife und erklärte dazu, dass wenn wir, also vornehmlich ich, in Schwierigkeiten stecken sollten, dann können wir sie mit der Trillerpfeife zur Hilfe rufen.

Feadona ist eine Fee. Sie ist nicht sehr groß. Ich würde mal sagen, in etwa so groß wie eine Barbiepuppe. Sie sieht nicht immer gleich aus. Mal hat sie rote Haare, dann wieder schwarze, auch vor grellen Farben schreckt sie nicht zurück und darunter sind spitze Ohren verborgen. Sie hat eine Bomben Figur, lange Beine, eine schmale Taille und hübsche Rundungen. Ihr Gesichtchen ist fein gezeichnet und ihre Augen leuchten vor Freude. Irgendwie hat sie tatsächlich eine große Ähnlichkeit mit Barbie.

Sie kichert gern. Eigentlich meistens. Und sie ist meine persönliche Schutzfee. Und mit der roten Trillerpfeife kann ich sie rufen.

Manchmal begleitet sie mich einfach so. Wenn ich mit Taruk unterwegs bin zum Beispiel. Wir haben viel Spaß miteinander und der Wolf mag die kleine quirlige Fee recht gern.

Ich sitze in meinem Wohnzimmer und schlürfe an einem Glas Rotwein. Feadona sitzt neben mir auf einem weichen Kissen und sie sieht mich an.

„Du weißt", meint sie lächelnd „dass er wieder kommen wird."

Warum sie immer lächeln muss ist mir schleierhaft. Das passt so gar nicht zu ihren ernsten Worten.

Ich nicke und trinke wieder einen Schluck aus dem Rotweinglas. Er schmeckt gut. Nicht zu süß, aber auch nicht allzu herb. Sehr fruchtig und ein wenig ölig. Ein absoluter Genuss und ich schließe die Augen dabei.

Als ich meine Augen wieder öffne, lächelt sie immer noch und ich frage sie:

„Sag, hast du eine Ahnung, was er will?"

Ihre kleinen Flügel schwirren plötzlich los und sie schwebt vor meinem Gesicht. Ihre kleine Hand streichelt meine Wange, als sie erwidert:

„Mein Wissen würde dir nichts nützen. Im Gegenteil. Es würde dich beeinflussen. Es ist eine Aufgabe, die es von dir zu lösen gilt. Aber ich bin ja bei dir. Vergiss das nicht."

Wie ich solche Aussagen finde? Völlig nutzlos. Aber ich weiß auch, dass ich aus ihr nichts rauskriegen werde.

Also seufze ich ergeben und Feadona lacht laut und drückt einen zarten Kuss auf meine Nasenspitze. Dann ist sie auch schon fortgedüst.

Konfrontation

Meinen Lebensunterhalt verdiene ich mit einer Begleitagentur. Hey – nur keine Vorurteile jetzt! Ich wollte noch nie irgendeinen normalen Job machen. Jeden Tag acht Stunden hinter einem Schreibtisch sitzen oder den Menschen etwas aufschwatzen, was sie nicht brauchen. Nee, das ist nichts für mich.

Meine Eltern waren natürlich ein bisschen entsetzt, als ich die Agentur vor vier Jahren eröffnete. Sannoo brach in schallendes Gelächter aus und klopfte mir auf die Schulter.

„Bravo Neria!" war ihr Kommentar und ich versuchte, mein Grinsen zu unterdrücken.

Zu meiner - die Hände in die Hüften stemmenden, fassungslosen Mutter - meinte sie lapidar: „Nun lass sie doch."

„Versuch macht klug" ist die Devise von Sannoo. Ein guter Ratschlag. Der mir und auch ihr nicht immer nur die erhofften Ziele einbrachte. Aber egal. Ich kann gut von der Agentur leben und ich brauche auch nicht immer vor Ort zu sein. Meine Sekretärin hält die Zügel in der Hand, wenn ich unterwegs bin. Also wirklich ein perfekter Job für mich.

Außerdem mag ich die unterschiedlichen Menschen, denen ich dort begegne. Was sie für Anliegen haben, wie sie sprechen und denken. Das ist hier der große Vorteil. Ihr Mund mag etwas anderes sagen, doch ich weiß was sie denken. Eines der magischen Erbstücke meiner himmlischen Herkunft.

In meiner Agentur beschäftigte ich acht Frauen von unterschiedlicher Herkunft, das heißt, sie sind völlig unterschiedliche Typen vom Aussehen her. Auch vom Charakter natürlich. Schließlich gilt es ja eine große Bandbreite an „Begleitungen" abzudecken.

Da gibt es zum Beispiel Viola. Sie ist eine üppige Rothaarige die Germanistik studiert hat. Man kann wunderbar mit ihr plaudern.

Und da ist auch Faith, eine kleine (nur einssiebenundfünfzig), sehr zarte Blondine. Ihr Aussehen täuscht. Sie hat die Energie und den Willen einer Bisonherde.

Desweiteren ist seit neuestem Ellodie dabei. Eine ganz Stille ist sie, mit rehbraunen Augen und einer grazilen Figur.

Sehr oft gebucht wird auch Lyn. Sie ist der Hippie in der Schar meiner Damen. Ihre Haarfarbe ist jede Woche anders und ihre Klamotten sucht sie sich in irgendwelchen Second-Hand-Shops. Aber sie ist lustig und geistreich.

Eine rassige Schwarzhaarige – Odette, ist Kampfsportlerin. Wow – mit ihr möchte ich wirklich keinen Ärger haben. Sie hat schwarze Gürtel in wer weiß was.

Und nicht zu vergessen Pola. Sie ist Russin, sehr hübsch, hat aber Haare auf den Zähnen. Aber gut – manche bevorzugen eben Konfrontation. Sie wird zwar nicht so oft gebucht wie die anderen Mädels, aber doch hin und wieder.

Und wir haben Zwillinge an Bord. Keiner kann sie unterscheiden. Es ist ein Drama. Tilda und Tilla. Zwei langbeinige, spitzbübische Brünette.

Vielleicht sollte ich dabei noch erwähnen, dass alle meine Begleitdamen Magie in sich tragen. Es sind halbe Engel, so wie ich dabei, auch welche, die nur noch ein bisschen Engelenergie in sich haben und ansonsten haben sie mindestens einen magischen Elternteil oder Großeltern oder wie auch immer. Auf jeden Fall sind in ihrer Ahnenreihe spannende Dinge verborgen.

Ich weiß ja nicht, was Sie unter einer Begleitagentur verstehen. In meiner steht das Begleiten im Vordergrund. Es gibt wirklich viele Männer, die zu den verschiedensten Anlässen keine Frau als Begleitung zur Verfügung haben. Hübsche Frauen, die es verstehen, sich angeregt und wissend über die verschiedensten Dinge zu unterhalten. Die mit einem Lächeln und den passenden Worten verwerfliche

Anzüglichkeiten im Keim ersticken. Und die repräsentieren können, schick aussehen noch dazu und auch geistreiche Konversation im Gepäck haben.

Für die Agentur habe ich zwei Büroräume und eine kleine Kochnische, sowie eine Toilette, in meiner Penthouse-Wohnung zur Verfügung. Das war absolut genial, denn ich brauchte nicht noch extra Geschäftsräume anzumieten. Meine Wohnung habe ich mit einer separaten Haustüre versehen, damit auch alles schön getrennt bleibt.

Ich habe keinerlei Schwierigkeiten mit meiner himmlischen Familie deswegen. Also wegen meiner Berufswahl. Ich hatte zwar mein Abi gemacht, aber keine Lust mehr verspürt, weiter zu studieren. Der große Paps sagt, dass er einst den Menschen den freien Willen gab und es keinen Sinn machen würde, jetzt daran rumzumäkeln. Und ich war ein halber Mensch und lebte die meiste Zeit in menschlicher Umgebung.

Das einzige, was mir derzeit Kopfzerbrechen macht, ist die Tatsache, dass meine Sekretärin Emma vor hat, für längere Zeit ihren Bruder in Amerika zu besuchen. Ich habe keine Lust, jeden Tag den Agenturschreibtisch vor mir zu haben. Die Flexibilität der letzten Jahre hatten mich zugegebener Maßen verwöhnt, aber man muss es sich ja nicht schwerer machen, als man es aushält und sich vorstellen kann.

Meine Unterlippe tut schon weh, weil ich ständig darauf herumkaue. Gutes Personal war heutzutage nicht leicht zu bekommen. Und unter den hier herrschen Umständen sowieso nicht.

Hin und wieder denke ich auch an die Begegnung mit Luz. Natürlich würde er irgendwann wieder auftauchen. Vor allem, wenn er Hilfe suchte. Aber darum würde ich mich kümmern, wenn es soweit war.

Meine vorrangige Sorge war Emma. Sie ist wirklich ein Schatz. Ihr hübsches Äußeres ergänzt ihre Tüchtigkeit und ihr sensibler Umgang mit der Kundschaft ist sensationell und ein wahrer Segen.

Neben mir liegt Taruk und schläft. Taruk ist ein Wolf. Ein magischer Wolf und seit ich denken kann, ist er an meiner Seite. Wir beide sind viel unterwegs zusammen und er nimmt mich hin und wieder mit in seine Wolfswelt.

Wenn Kundschaft auftaucht ist er nicht zu sehen. Emma kennt ihn und sie hat kein Problem mit Taruk. Manchmal krault sie ihn sogar zwischen den Ohren. Dabei steht sie ein wenig auf ihren Zehenspitzen. Taruk ist ein großer Wolf. Ich weiß aus ihren Gedanken, dass er ihr ein wenig unheimlich ist. Doch ihre Faszination ist einfach größer als ihre Angst.

So sitze ich hier und denke nach. Und ich kann es drehen und wenden, wie ich will – ich brauche Ersatz für Emma. Nur – woher nehmen?

Neben mir ist Taruk aufgestanden. Er legt seinen riesigen Kopf auf meine Knie und sieht mich an. Ich streich ihm liebevoll durch sein weiches Fell.

Es ist wirklich unglaublich weich. Es hat alle Grautöne in sich vereint. Von dunkel bis hell. Auch weiße Kleckser befinden sich in seinem Fell. Taruk hat schwarze Augen, in denen die Magie brodelt.

Taruk ist mein liebster Freund. Von Kindesbeinen an gehören wir zusammen. Als ich klein war, bin ich auf seinen Rücken geklettert und er trug mich sicher an die sonderbarsten und auch wundervollsten Orte, die man sich nur vorstellen kann. Er würde sterben für mich und ich für ihn.

Hin und wieder nimmt er mich mit zu seiner Wolfsfamilie. Ein großes Rudel, angeführt von einem Wolfspaar, das einzigartig ist. Ich habe niemals auch nur annähernd ein so soziales und liebevolles Miteinander erlebt, wie hier. In der Welt der Menschen liegt vieles im Argen, ich sehe es immer wieder und es betrübt mich. Doch hier im Rudel gibt es Werte. Uralte, von den Wolfsahnen geprägte Wahrheiten, die nie an Wert verloren haben, die nicht vergessen wurden.

Sie werden gelebt. Manchmal finde ich es schade, dass diese Welt nicht allen zugänglich ist. Man kann hier so viel lernen.

Ich sitze immer noch grübelnd am Schreibtisch und zeichne mit dem Bleistift auf dem großen Tischkalender, der vor mir liegt, bizarre Muster. Seufzend stehe ich auf. Es bringt nicht viel, hier zu sitzen und auf ein Wunder zu warten. Wunder geschehen immer dann, wenn man mit ihnen nicht rechnet. Ich weiß das aus Erfahrung und aus erster Quelle. Und Wunder sind oftmals gut verpackt, als solche nicht gleich ersichtlich und beim Auspacken auch nicht das, was man sich erhofft oder gewünscht hat. Aber glauben Sie mir – die Wunder, die geschehen, sind immer genau das, was wir brauchen.

Als ich die Tür meiner fabulösen Penthouse-Wohnung aufschließe, kommt mir schon Regina entgegen. Sie streckt sich graziös und sieht mich erwartungsvoll an.

Regina ist eine Katze. Oder sagen wir mal, sie ist manchmal eine Katze. Wenn sie nicht als Katze herum läuft, ist ihr Name Estella und sie ist eine Amazone und zu beschützen ist ihr Auftrag. Ja wirklich.

Estella ist wunderschön. Das sind alle magischen Geschöpfe. Ich kenne keines, dass nicht das Attribut „wow" verdient.

Meine Katze – äh – Estella ist mindestens einsachtzig groß. Sie hat derzeit flammend rotes Haar bis zum Hintern. Und sie hat spitze Ohren und ihr Gesicht erinnert mich immer ein wenig an die junge Elisabeth Taylor. Sie lächelt immer. Wirklich immer. Was in manchen Situationen mehr wie verwirrend ist. Sannoo erzählte mir mal, dass sie Estella nur ein einziges Mal nicht lächeln sah. Als nämlich Luz, der Stinkstiefel, ihr fast das Lebenslicht ausgeblasen hat auf dem Zentralfriedhof in Wien. Estella kam gerade noch rechtzeitig.

Die kleine Feadona und die große Estella sind in dieser Hinsicht wirklich gleich – sie grinsen, was das Zeug hält.

Estellas Kurven sind atemberaubend und sie hat eine Lässigkeit, die ihres gleichen sucht. Die Klamotten, die sie trägt sind der letzte oder auch der erste Schrei. Bevor die VIP`s darin erscheinen, hat Estella bereits schon ihren Schrank voll damit. Sie wohnt bei mir im Penthouse. Ich habe genug Platz.

Außerdem ist Estella eine große Kriegerin. Sehr oft verschwindet sie für einige Zeit, weil ein Auftrag sie „weiß der Himmel" wohin führt.

Schon oft habe ich versucht sie zu überreden, als Begleitdame zu fungieren. Ich glaube, sie wäre da der absolute Kracher. Aber da stellt sie sich taub.

Mit ihrem üblichen Grinsen im Gesicht sagt sie dann entrüstet:

„Was glaubst du wer ich bin? Einen Abend mit irgendeinem Hohllaberer verbringen? Bist du von Sinnen!"

Estella war früher einmal bei meiner Mum und Sannoo als Aufpasserin. Daher kennen wir uns. Ich mag sie sehr. Wir sitzen manchmal abends am Kamin, der fröhlich vor sich hin knistert und trinken Wein und plaudern miteinander. Estella ist mehr wie trinkfest. Ich habe sie noch nie lallen sehen und hin und wieder trägt sie mich in mein Bett und deckt mich zu, weil mir einfach die Augen zufallen, wenn wir die vierte Weinflasche ausgetrunken haben.

Ich streiche über Reginas samtweiches Fell und sie trollt sich wieder in ihr Zimmer.

Da mein Hunger noch nicht sehr groß ist, gehe ich ins Badezimmer um zu duschen. Es war warm heute. Ein Frühsommertag zum Träumen.

Als ich unter der Dusche stehe und meine bereits gewaschenen Haare voller Schaum sind, greife ich nach der Seife und finde sie nicht. Verdammt. Wahrscheinlich schon wieder runtergefallen.

Plötzlich fühle ich an meiner Hand die Seife, jemand reicht sie mir und ich greife zu.

Wahrscheinlich Estella, denke ich mir und nehme sie dankbar.

Ich bringe zwischen dem Schaum, der mir aus den Haaren übers Gesicht läuft, ein leises „Danke Estella" heraus, als eine männliche, tiefe Stimme herzerfrischend trällert:

„Gern geschehen!"

Meine Hand, die die Seife hält, ballt sich vor Schreck zu einer Faust zusammen und die Seife macht einen Blitzstart, knallt an die Decke und trifft mich dann voll am Kopf.

Schnell wische ich mir den Schaum aus dem Gesicht, vor allem aus den Augen und versuche mein wild pochendes Herz zu beruhigen. Meine Flügel sind bereit, ich spüre sie.

Ich öffne die Augen und schaue in das grinsende Gesicht von Luz.

„Gib mir das Handtuch da!", keife ich ihn an. Er reicht mir ein Handtuch und ich blaffe weiter:

„Nicht das Kleine du Dödel! Das Extragroße daneben!" Ich bin entsetzt und mega sauer.

Luz reicht mir mit versucht leerem Gesichtsausdruck das Handtuch, doch natürlich sehe ich das Blitzen in seinen Augen.

Schnell schlinge ich es um meinen Körper, als auch schon Estella auf dem Plan erscheint. Sie hat einen silbernen Speer in der Hand und zielt damit auf Luz.

Mit neutraler Stimme und ihrem unermüdlichem Grinsen fragt sie mich:

„Brauchst du Hilfe? Was macht der überhaupt hier? Hast du ihn etwa eingeladen?"

Ich schaue zu Boden und atme tief ein und aus und sage:

„Nein und keine Ahnung und nochmal nein. Kannst wieder gehen."

Sie zuckt mit den Schultern und verschwindet.

Ich ziehe das Handtuch fester um mich und setze dann ein noch grimmigeres Gesicht auf. Meine Flügel habe ich nur mit Mühe zurück gehalten. In solchen Momenten führen sie fast ein Eigenleben. Wenn ich wütend werde oder aufgeregt bin, dann passiert es wie von selbst.

„Verpiss dich!!", meine Worte klingen gehässig, ich weiß. Aber sorry, einfach hier aufzutauchen, geht gar nicht.

„Was hätte ich denn machen sollen?" Die Stimme von Luz klingt gequält, aber ich merke sofort, dass dies nur Show ist.

„Komm in mein Büro, mach einen Termin aus! Du hast das ja nicht mal versucht!" Meine Augen sprühen vor Entrüstung.

Und ich setze nach „Verschwinde endlich."

Luz gibt sich zerknirscht und erklärt mir, dass ich ihn ja niemals empfangen hätte. Bingo. Da hat er verdammt noch mal recht.

Hoheitsvoll schiebe ich ihn zur Seite und rausche an ihm vorbei.

Es dauert nur eine Sekunde, dann folgt er mir.

Ich gehe zum Schrank, gleich neben dem Kamin und schenke mir einen Whiskey ein. Sehnsuchtsvoll starrt Luz auf mein Glas und ich stöhne auf, bevor ich ihm auch ein Glas einschenke. Er kriegt nicht so viel wie ich, das ist ja mal sonnenklar.

Ich trinke es in einem Zug leer und wische mir mit dem Handrücken über meinen Mund. Also wirklich! Luz hat doch nicht mehr alle Höllenfeuer am Qualmen. Einfach bei mir aufzutauchen – im Bad – wenn ich nackt unter der Dusche stehe.

„Brauchst dich nicht zu schämen. Es ist nichts an dir, dass du es müsstest! Ich kann das wirklich beurteilen." Seine Stimme klingt ernst dabei. Doch ich höre das unterdrückte Glucksen darin.

Bei seinen Worten hebe ich mein leeres Glas hoch und hole schon Schwung, um es ihm an seinen Höllenschädel zu werfen. Lass es dann aber sein. Schade um das Glas. Luz ist ein Armleuchter und ein Quertreiber, ein Stänkerer und sich-fiese-Höllenspiele-Ausdenker - aber! - wenn ich Sannoo glauben darf (und das tue ich), dann hat der Dunkelheit-Chef auch seine guten Seiten. Auch wenn ich noch mächtig böse bin auf ihn wegen meines Vaters. Das war einfach nur gemein. Aber jetzt ist jetzt und gestern ist eben schon vorbei.

„Danke" ist alles, was er sagt.

Ergeben setze ich mich auf das Sofa. Luz nimmt mir gegenüber auf einem Sessel Platz. Er wird nicht wieder verschwinden, bevor er gesagt hat, was er sagen will. Das ist mir klar. Also - bringen wir es hinter uns. Luz hält sein Glas gedankenverloren in der Hand und starrt es an. Momentan nimmt er mich nicht wahr und er spielt es nicht. Ich schaue in seinen Kopf und da ist einfach nur Leere.

„Also", beginne ich vorsichtig „was ist denn so ungemein wichtig, dass du mich beim Duschen stören musst?"

Sein Blick geht ruckartig nach oben und ist auf mein nasses Haar geheftet.

„Du bist wunderschön!" Seine dunklen Augen halten mich fest und jetzt möchte ich um nichts auf der Welt in seinen Kopf schauen.

Da lacht Luz schallend auf. Er hat meine Gedanken gelesen.

Ich schürze meine Lippen und will schon aufspringen, als er beschwichtigend sagt, er macht es nicht mehr. Zumindest heute, fügt er augenzwinkernd hinzu.

Mein Handtuch gibt mir nicht viel Sicherheit und ich greife mit einer Hand an den Knubbel zwischen meinem Busen, wo ich es verknotet habe und halte es fest. Nur sicherheitshalber.

Luz beginnt völlig unvorbereitet:

„Du wirst ja sicherlich über die letzten Begebenheiten durch deinen Vater informiert sein."

Erwartungsvoll blickt er mich an und ich nicke. Oh - ich weiß genau, wovon er spricht.

Odin (der germanische Gott), Eligor, der Freund von Sannoo und er selbst waren als Gefangene in Helheim von Loki, dem Blutsbruder von Odin und ebenfalls ein germanischer Gott, festgehalten worden.

Meine Mutter und Sannoo sind damals ausgerückt, um sie zurückzuholen. Wieder so eine lange Geschichte. Na gut. Am Schluss war es so, dass Hel (schon wieder eine germanische Gottheit) ihnen half zu entkommen, wenn sie mit durfte nach Midgard, also in die Welt der Menschen.

Und ich wusste aus sicherer Quelle, dass es zwischen Hel und Luz gewaltig gefunkt hatte. So weit, so gut. Hel ist übrigens die Tochter von Loki. Erschwert die Lage erheblich.

Der Höllenfürst nickt ergeben und ich werfe mein leeres Glas auf ihn. Schon wieder war er in meinen Gedanken unterwegs. Luz duckt sich geistesgewärtig und mein Glas zerspringt in tausend kleine Glasstückchen, als es auf die Wand trifft.

„Sannoo hat dir bestimmt auch einmal erzählt, dass ich ein Lügner bin." Er wirkt bei seinen Worten weder zerknirscht noch betreten.

Nachdem ich nicht reagiere, fährt er fort:

„Ja. Und wir haben sie natürlich mitgenommen. Also ich habe sie mitgenommen. So war der Deal."

Er steht vom Sessel auf und beginnt im Zimmer umher zu laufen. Wie ein gefangener Tiger.

„Und nun ist es so, dass sie sich höllisch langweilt!" Ihm bleibt das Lachen im Munde stecken über seinen sehr passenden Vergleich.

Ich kann mir das lebhaft vorstellen: Die germanische Göttin der Unterwelt trifft auf den irdischen gefallenen Engel, der die Hölle am Laufen hält.

Was sich das Universum dabei wieder mal gedacht hat … Ich schüttle meinen Kopf und nehme mir vor, den himmlischen Paps einmal danach zu fragen.

„Und?" Ich beginne mich ebenfalls zu langweilen.

„Hel braucht einen Job und das lieber gestern als heute."

Meine Neugierde ist geweckt. Ich schirme vorsichtshalber meine Gedanken ab, denn Luz braucht nicht zu wissen, dass ich für Emma händeringend nach Ersatz suche. Ich werde feilschen und so wird mein Preis höher sein.

Entscheidungen fälle ich ziemlich schnell. Auch wenn sie einen Rattenschwanz an nicht erwünschten Folgeerscheinungen haben. Aber das scheint eine Fügung des Schicksals zu sein und ich reibe mir innerlich die Hände. Natürlich lasse ich mir das nicht anmerken. Luz soll noch ein wenig schwitzen.

„Was sollte ich für einen Job für deine Freundin haben? Also ehrlich!" Ich winke ab und füge noch hinzu, dass ich nicht das Wohlfahrtsamt für gestrandete germanische Göttinnen bin.

„Du weißt Neria, dass Hel verdammt schön ist. Und in deiner Begleitagentur würde sie sich verdammt gut machen."

Ich zucke mit den Schultern. Luz scheint ja bestens informiert zu sein.

Luz schnaubt durch die Nase, so dass sich die Nasenflügel ausdehnen. Sein Gang wird schneller und ich grinse innerlich.

„Nun komm schon. Lass mich nicht betteln."

Er bleibt vor mir stehen, breitbeinig und verschränkt seine Arme vor der Brust. Seine Augen fixieren mich.

Der Gedanke, ihn betteln zu lassen, erwärmt mein Herz. Doch ich möchte ihn so schnell wie möglich wieder los werden.

„Was wäre dir die Sache wert? Wenn ich es denn täte?"

Und der Teufel lässt sich mit einem Plumms wieder auf den Sessel fallen.

„Das dachte ich mir." Er wirkt extrem verdrossen. Doch ich weiß, dass dies nur Fassade ist. Er spielt genauso Theater, wie ich. Wir wissen das beide.

„Was willst du?" Luz sieht aus, als wäre ihm das Feuerholz für seine Höllenfeuerchen ausgegangen.

Ich bin mir aber sicher, dass er damit gerechnet hat. Luz mag alles Mögliche sein, aber er ist bestimmt nicht doof.

Er ist ein exzellenter Showman, der alle Klischees diesbezüglich erfüllt. Und dann ist er eben zerknirscht, wenn es erwartet wird.

In der Kürze habe ich mir meine Gedanken darüber gemacht. Eigentlich keine schlechte Idee, finde ich. Noch eine magische Frau mehr, spielt auch keine Rolle mehr. Das sie das Pulverfass werden kann, dass keiner will und braucht – nun ja. Mit ihr sind quasi die Probleme vorprogrammiert. Doch meine Neugierde siegt mal wieder. Und meine Abenteuerlust. Das meinte ich vorhin, als ich erwähnte, dass ich hin und wieder anstrengend bin.

„Ich möchte", und dabei ziehe ich die Worte mit Genuss in die Länge „dass du an Heilig Abend und den zwei Tagen danach und an Ostern deine Aktivitäten praktisch auf Null beschränkst."

Jetzt springt Luz mit einem empörten Ausruf aus seinem Sessel wieder auf. Und ich grinse nur.

Dann lässt er sich langsam zurück sinken und starrt in den Boden. Bei seinen folgenden Worten bleibt sein Blick starr auf den Boden geheftet.

„Es gibt da noch was, was du wissen solltest."

Oh weh. Himmlischer Vater. Was kommt jetzt noch?

Und er sagt mir leise, dass Hel schwanger ist.

Und ich – völlig entgeistert, erwidere:

„Ja habt ihr sie denn noch alle? Als wenn ein Luz und eine Hel nicht schon genug wären!"

Kommt ja gar nicht in Frage! Aber so was von gar nicht!! Eine schwangere Hel! Der Himmel möge mich davor bewahren. Und das arme Würmlein erst! Ich schüttele energisch den Kopf. Ich muss meine vorhin schnell gefällte Entscheidung noch mal gründlich überdenken.

„Sie kann nicht bei mir bleiben. Das geht unmöglich." Die Stimme von Luz dringt verzweifelt in meine Überlegungen ein.

„Sie muss in Sicherheit sein. Sie und das Baby. Nur für eine Weile. Du hast doch Platz, oder? Und du hast ein gutes Herz."

Und da kommt er ausgerechnet zu mir. Doch plötzlich verstehe ich.

„Du warst schon bei Sannoo, richtig?"

Und er nickt.

Ich lasse mir Zeit zum Nachdenken und Luz ist still. Sannoo hat ein Herz aus Gold. Doch mit der Farm und all den Tieren und Menschen, die sie dort beherbergt, sind sie und Eligor völlig ausgelastet. Und ich könnte auch verstehen, wenn sie ihn einfach mit seinem Anliegen zum Teufel (lachhaft!) geschickt hat.

Meine Stirn kräuselt sich extrem und meine Lippen sind zusammen gepresst. Dann habe ich mich erneut entschieden:

„Okay. Das wird dann aber teuer für dich. Ist klar, oder?"

Der Teufel nickt und aus seinen Ohren steigt leichter Rauch auf. In seiner derzeitigen Verfassung völlig normal.

„Eine schwangere Hel – ein Baby! – erschwert die Lage natürlich enorm. Ich habe noch einen gut bei dir. Und du kannst nicht ablehnen, was immer ich auch verlange! Und natürlich mein Preis mit Weihnachten und so, der gehört auch noch dazu."

Der Höllenfürst springt auf und geht, also vielmehr rennt er fast. Bevor er die Tür aufmacht, höre ich seine Worte klar und deutlich:

„So soll es sein!" Und ich höre ihn noch schimpfen: „ ... diese Familie ist die reinste Plage, eine Folter ohnegleichen und eine Zumutung!"

Eine neue Mitarbeiterin

Ja und dann, eines Tages steht Hel vor meiner Penthousetür.

Ich spreche gerade mit Lyn. Ihre Haarfarbe ist heute blau. An und für sich ein tolles Blau. Nur beißt es sich mit ihrem kunterbunten Outfit. Wir sprechen über ihr Date am Abend. Der hiesige Bürgermeister wollte eine nicht alltägliche Begleitung für ein Konzert. Soll er haben. Ich hoffe mal, dass er kein klassisches Konzert gebucht hat, denn da wäre Lyn mit Sicherheit der Star des Abends. Also, dass ist jetzt sehr sarkastisch gemeint.

Hel sieht umwerfend aus. Ihr langes, dickes schwarzes Haar reicht ihr bis zur Hüfte. Lange endlose Beine stecken in engen schwarzen Jeans. Ich schätze, dass sie mindestens einsfünfundachtzig groß ist. Sie trägt einen noch engeren roten Pulli mit V-Ausschnitt, aus dem beachtliche Hügel hervorquellen. Große schwarze Augen schauen mich an. Ihr Gesicht ist klar und ihre Lippen zeigen weder Freude, noch Angst, noch sonst irgendwas. Ihre Züge verraten nichts von ihrem internen Gemütszustand.

Sie wirft einen abschätzenden Blick auf Lyn und zieht kaum merklich ihre Augenbrauen etwas nach oben.

Als ich daraufhin auf ihren Bauch starre, sehe ich nichts. Also keine Rundung.

Sie sagt:

„Bis man etwas sieht, dauert es noch lange. Ich bin keine Menschenfrau."

Ich nicke und sage nichts. Mein Schwert, das ich immer bei mir trage, rumort ein wenig, doch ich kümmere mich nicht darum.

Lyn fährt sich langsam durch ihre blaue Haarpracht und taxiert neugierig unseren Neuzugang. In ihrer Ahnenreihe kommt eine Wassernixe vor. Und in der Tat – in ihrer Nähe spüre ich immer eine leichte, kühle Brise. Ich höre in ihren Gedanken, dass sie Hel interessant findet, aber auch sonderbar. Naja, wer in der Unterwelt arbeitet, ist nicht normal. Das sieht man ja an Luz.

Hel`s Blick huscht zu mir und sie schaut mich aufmerksam an.

„Du bist wunderschön Neria. So ganz anders als ich. Und ich danke dir. Luz hat mir von eurem Gespräch erzählt. Ehrlich, du hast gut gepokert mit ihm. Er hat gequalmt, mein Höllenflämmchen." Sie scheint beeindruckt zu sein und deutet ein Lächeln an und ihre Augen versprühen Funken.

Ihr Kosename für Luz verursacht mir ein Zwicken im Bauch. Und wäre ich ein

Kandidat für Migräne, dann würde die sich jetzt auf den Weg zu mir machen.

Urplötzlich taucht Estella hinter mir auf. Sie ist auf der Hut, das spüre ich. Ihr Dauergrinsen wirkt eingefroren.

Und mit Hel beginnt eine verblüffende Verwandlung. Ihre Haut wird mit grünschwarzen Schuppen überzogen. Wie bei einem Fisch oder einer Schlange. Was aber witzig dabei ist: nur eine Körperhälfte ist davon betroffen und ihre Hände und ihr Gesicht überhaupt nicht.

„Wow – wen haben wir denn da?" Estellas Frage klingt lässig, doch ich höre die Wachsamkeit darin. Sie lächelt – das tut sie meistens – doch ihr Lächeln wirkt maskenhaft.

Wenn ein Fremder Estella sieht, würde er glatt denken, dass sie eine überaus freundliche und liebenswerte Person ist. Im Grunde stimmt das auch, doch ihr angenehmes Äußeres und ihr stets lächelnder Mund lassen etwas vermuten, was oft nicht da ist. Das ist ähnlich wie bei Feadona. Der freundliche Gesichtsausdruck erweckt oft eine falsche Interpretation der Stimmungslage.

Und Hel`s Stimme hat sich verändert. Nicht mehr sanft und milde. Ihre Augen sind schmale Schlitze und sie hat ihre Hände

47

hochgenommen, als müsste sie sich verteidigen.

„Was will sie hier? Die Schlampe."

Na, das kann je lustig werden. Zwei Zicken in Fahrt.

Estella zieht eine Augenbraue hoheitsvoll nach oben und erwidert, weiter fixiert auf Hel, zu mir:

„Tu das nicht, was du vorhast Neria. Das gibt nur Ärger. Und dann auch noch einen Höllenbalg! Sag nicht, ich hätte dich nicht gewarnt."

Sie macht für einen Moment die Augen zu und atmet hörbar aus.

„Moment mal!", ich bin etwas irritiert.

„Woher weißt du das Estella? Kennt ihr euch etwa?"

Hel ist wieder völlig normal, also vom Erscheinungsbild her, als sie mit splitternder Stimme meine Nerven strapaziert:

„Jaaaa — wir kennen uns. War kein Vergnügen. Und in unseren Welten kann man nichts geheim halten. Leider!"

Ja wieso hab ich dann nix mitgekriegt, frage ich mich. Weil`s mich nicht interessiert. Ich mag zwar ein halber Engel sein, umgeben von magischen Wesen und Geschöpfen, doch ich war noch nie eine Plaudertasche und was man so hört, das ganze Getratsche, naja, ich muss nicht alles wissen. Ob in der himmlischen oder der Menschenwelt. Da hätte ich echt viel zu tun. Ist nämlich eine ganze Menge los überall.

Meine Freundin beendet ihren Auftritt und rauscht ab. Lyn kann sich nur schwer von dieser bizarren Vorstellung lösen, doch ich schiebe sie energisch zur Tür hinaus.

So stehe ich mit Hel alleine an der Eingangstür. Ich winke sie mit dem Kopf herein und bringe sie in das eine, noch freie Zimmer bei mir. Es ist groß und ich habe hübsche Möbel drin stehen. Das Zimmer hat einen Zugang zur Dachterrasse und hat ein eigenes kleines Bad. Bald wird hier noch eine Wiege stehen und ich stöhne innerlich bei diesem Gedanken.

Ich erkläre Hel die Abläufe hier und gebe ihr einen Wohnungsschlüssel. Jetzt muss ich schleunigst weg. Die ganze Situation stresst mich und meine Flügel wollen sich zeigen. Deswegen beschließe ich, meine Mutter und meinen Vater im Laden zu besuchen. Bei diesem Gedanken fühle ich mich gleich besser.

Mein Vater erwartet mich schon an der Eingangstüre vom Schuhladen. Sein

Gesicht strahlt. Ich sehe den feinen, hellen Schein um ihn herum. Die Menschen nehmen ihn meistens nicht wahr. Sie spüren nur die eigenartige Anziehungskraft, die er auf sie ausübt.

Als sich seine Arme um mich schließen, höre ich ihn in meinen Gedanken:

„Ich und deine Mutter wissen Bescheid mein Herz. Er war bei Sannoo, bevor er zu dir kam. Dieser verflixte Kerl. Bitte halte dich bei deiner Mutter etwas zurück. Sie regt sich so leicht auf. Du weißt ja."

Laut sagt er zu mir, wie sehr er sich freue, dass ich da bin. Und schon kommt meine Mutter aus der Kaffeecke auf mich zu gestürmt. Sie breitet ihre Arme aus und ich drücke sie herzlich an mich. Meine Mutter riecht wundervoll. In all den Jahren bin ich noch nicht dahinter gekommen, wie sie das anstellt.

Und sofort eröffnet meine Mutter verbal das Feuer – sie ist so, schon immer:

„Er war wieder hier!!" Bei diesen Worten lacht sie über das ganze Gesicht und ich erstarre, da ich ehrlich gesagt bei ihren Worten erschrocken bin. Doch sie meint jemanden ganz anderes. In ihrem Kopf sehe ich seine Gestalt.

„Er hat heute gleich drei Paar Sandalen mitgenommen. Stell dir vor! Und seine blauen Augen. Himmlisch. Aber das ist ja ganz normal, da wo er herkommt. Sannoo meint, dass sein Vater die gleichen blauen Augen hat ... Bestimmt hat sie da Recht."

Sie plappert fröhlich weiter und ihre Hände bewegen sich hin und her bei ihren Worten.

Der leuchtende Mann, oder Sandalenmann, wie wir ihn nennen, ist Sannoos ganz spezieller Freund. Er ist eigentlich der Freund von allen. Sannoo erzählt oft von ihm. Dass er schon, als sie noch ein kleines Mädchen war, am Bettende saß und mit ihr sprach. ER ist wirklich ein besonderer Mann. Ich bin mir nicht ganz sicher, ob diese Aussage den Kern der Sache bei ihm trifft und ausreichen würde, ihn zu beschreiben. Ich höre ihn schon wieder lachen bei meinen gedachten Worten. Wenn ich ein Date mit dem himmlischen Paps habe, sehe ich ihn oft. Er ist ja schließlich sein Sohn.

Der leuchtende Mann ist wunderbar. Wie gesagt, ich treffe ihn manchmal, wenn ich *oben* unterwegs bin. Er hat auf alle Fragen eine Antwort. Meine Mutter wusste lange nicht, wer er ist. Und wir haben es der Zeit überlassen, dass sie es heraus findet. Ich lache viel mit ihm und hin und wieder begleitet er Taruk und mich auf unseren Ausflügen.

Meine Mutter ist verstummt. Sie schaut uns beide, also meinen Vater und mich, abwechselnd an.

„Das ist nicht zu fassen!" Empörung schwingt in ihrer Stimme mit. Sie weiß es. Paps hat es ihr schon gesagt.

„Das Luz sich das traut. Der hat wirklich Nerven. Bei Sannoo ist er schon abgeblitzt. Du tust doch nicht, was er verlangt Neria?"

Ich lege meinen Kopf schief und ein ebensolches, schiefes Grinsen erscheint auf meinem Gesicht.

„Wo soll sie denn hin?" Meine Frage ist berechtigt. Und Luz ist anscheinend echt in Sorge um sie. Nun, ich denke, ihr Vater Loki, der Mistkäfer, ist nicht gut auf sie zu sprechen. Er wird eine Stinkwut auf sie haben. Und Loki will Rache. Auch wenn sie seine Tochter ist. Da wird er keinen Unterschied machen.

Hel hat ihn schließlich hintergangen. Hat seinen Gefangenen zur Flucht verholfen und sich gleich mit auf die Socken gemacht.

Und mit Sicherheit weiß Loki auch schon, dass er Opa wird. Und das wird ihn weder glücklich machen noch seine Wut auf seine Tochter minimieren.

Natürlich ist mir klar, dass ich damit auch die Aufmerksamkeit Loki`s und wer weiß von wem noch, auf mich ziehe. Doch was soll`s? Das Leben ist gefährlich, von der ersten Sekunde an.

„Hab ich mir schon gedacht." Meine Mutter wirkt betroffen. Doch im nächsten Moment lächelt sie schon wieder. Sicherlich denkt sie gerade an all die Abenteuer, die sie selbst schon erlebt hat. Und sie weiß, dass ich selbst entscheide und mich auch nicht aufhalten lasse.

Ich stelle eine Tasse unter den Auslass der Kaffeemaschine, die im Laden auch für unsere Kunden steht. Dann drücke ich auf „Kaffee – stark" und warte. Mein Vater hat den Arm um meine Mutter gelegt und beide schmiegen sich aneinander. Und ich sehe das Glück in ihren Augen und Gesichtern.

Einmal habe ich den himmlischen Paps gefragt, warum mein Vater bei uns bleiben darf. Mein Vater kam eigentlich mit einem Aufpasser-Auftrag zu meiner Mutter und Sannoo. Himmel-Paps hat mich mit Wahnsinns-blauen Augen eine Weile ernst angesehen, bevor er mir antwortete:

„Alles was aus tiefer Liebe geschieht, ist mein Wille. Dein Vater liebt deine Mutter und dich. Mehr, als jemals ein Himmel vermag zu regnen, mehr, als jemals die Sonnenstrahlen die Erde erreichen werden, mehr, als Wassertropfen die Meere füllen. Das ist Grund genug."

Vorsichtig schlürfe ich aus meiner Kaffeetasse den heißen, leckeren Kaffee und hänge meinen Gedanken nach.

Mein Vater weiß, was ich gerade denke. Ich sehe es, weil sich seine Augen ein wenig mit Tränen füllen. Wer gedacht hat, dass Engel nicht weinen, dem kann ich jetzt sagen: sie tun es. Warum auch nicht?

„Ich weiß nicht, was passieren wird", sage ich und schaue in seine Augen „doch ich weiß, dass es sein muss. Auch weiß ich nicht, was für Wellen das Ganze schlagen wird, ob es gefährlich wird – für uns alle. Ich weiß es nicht." Ich seufze laut bei meinen Worten.

Mein Vater nickt und seine Worte erfüllen mich mit Zuversicht:

„Wir sind bei dir Liebes. Immer. Ganz egal, was passieren wird, wir stehen zu dir."

Und meine Mutter unterstreicht seine Worte noch, indem sie auf mich zu kommt und mich fest in ihre Arme nimmt. Diesmal sagt sie kein Wort. Ausnahmsweise.

Ausflug

Taruk und ich streifen durch den Wald. Es ist kein Wald, der für jeden zugänglich ist.

Dieser Wald ist der Wald der magischen Geschöpfe. Ich nenne ihn einfach Seelenwald. Denn in ihm treffe ich Geschöpfe und Kreaturen aus der Welt von Taruk und auch aus meiner himmlischen Heimat.

Wir erreichen ihn durch ein Portal. Dazu gehen Taruk und ich an den großen Fluss, der ganz nah am Penthouse vorbei fließt. Und dort steht ein alter, wirklich uralter Baum. Ganz knorrig und seine langen Äste ragen weit in den Himmel. Er steht genau am Ufer des Flusses und die Strömung hat sein Wurzelwerk teilweise frei gelegt. Es sieht ein wenig gespenstisch aus und seine Wurzeln sehen aus wie überdimensionale Beine. Ich frage mich oft, wie er der Strömung, Wind und Wetter stand halten kann – aber er steht hier.

Durch seine Wurzeln, die nicht im Erdreich verborgen liegen, gehen wir in den Seelenwald. Ich muss mich ein wenig bücken, denn für eine Frau bin ich recht groß. Nicht so groß wie Estella. Aber größer, als der Durchschnitt.

Es dauert nur einen kurzen Moment, in dem es flirrt und zurrt und dann stehen wir im magischen Wald.

Auf den ersten Blick sieht er aus, wie ein ganz normaler Wald. Doch schon bei unseren ersten Schritten fühle ich die Magie hier. Die Bäume sind viel größer, die Farben viel intensiver und Insekten, die an uns vorbei schwirren, sind riesig im Gegensatz zu ihren Verwandten in der Menschenwelt.

Ich höre die Bäume wispern und der Wind, der durch mein Haar streicht, liebkost meine Wangen und unverständliches Gemurmel dringt an meine Ohren.

Jedes Mal, wenn ich hier bin, verzaubert mich dieser Wald. Hier herrschen ganz eigene Gesetze. Es gibt keine Gewalt und ich fühle, wie alles zusammen gehört, wie alles zu etwas ganz Großem gehört. Gerade in diesem Moment höre ich den Himmel-Paps in meinem Kopf lachen. Ich seufze wohlig und schicke ihm meine Liebe.

Die Bäume kommunizieren hier natürlich auch über ihre Wurzeln miteinander und man kann sie reden hören. Wobei reden übertrieben klingt. Sie haben ihre eigene Art, Kontakt aufzunehmen und sich mitzuteilen. Es sind Bilder, Gefühle und Eindrücke, die mich erreichen und die meine Seele und mein Herz dann übersetzen.

Manchmal lehne ich mich an einen von ihnen und schalte meinen Geist aus. Meine Gedanken stoppen, das Karussell des ewigen Denkens wird unterbrochen und ich öffne meine Seele und mein Herz. Es ist, als wenn man im Haus alle Fenster öffnet, um die warme Sommerluft herein zu lassen. Und wenn jede Zelle meines Körpers nur im Jetzt und Hier ist, nichts anderes will, als nur diesen Moment zu spüren, dann erzählt mir der Baum seine Geschichte oder eine Geschichte des Waldes und der Tiere darin.

Hier fällt mir die Geschichte des Regenwurms ein, die mir einmal eine sehr große und alte Eiche erzählt hat.

Ich muss überlegen – wie war das nochmal mit den verpassten Gelegenheiten? Ja, jetzt weiß ich sie wieder. Also, die alte Eiche erzählte mir diese Geschichte:

Er lag im Gras und ringelte sich zusammen. Wütend war er. Auf sich selbst. Weil er ihn verpasst hatte ... wieder einmal.

Dabei konnte er gar nichts dafür. Er war halt zu beschäftigt. Ständig musste er unter Tage arbeiten. Seine Nase tat ihm sehr oft weh und wenn er dann wieder nach oben kam, dann blendete ihn auch noch die Sonne. Er musste heftig blinzeln und sogar die Augen schließen, weil er die Helligkeit kaum aushielt.

Er trug in seinem Namen dieses Wort, deren Ankunft er verpasst hatte. Und er liebte den Regen so.

Was hatte Gott sich eigentlich gedacht, als er ihn erschuf? Einen Regenwurm. Braun und glatt und glitschig ... und dünn wie ein Streichholz.

Oh meine Güte! Niemand nahm Notiz von ihm – außer Vögel, wenn sie auf Nahrungssuche waren. Auch wieder so ein Dilemma. Wenn er nicht aufpasste, war der morgige Tag für ihn schon gelaufen.

Und dann ständig in der Erde rum wühlen und den Regen verpassen. Den letzten hatte er auch schon versäumt. Er wollte gar nicht daran denken, wie viele er schon verpasst hatte.

Am liebsten ließ er den Regen auf sich herab rieseln. Dann fühlte er sich frei und groß und er genoss jeden Tropfen, der ihn umhüllte. Seine Nase tat dann kaum noch weh und der Regen spülte die Erde von seinem Körper fort.

Wenn es regnete, schien in der Regel keine Sonne, außer wenn es einen Regenbogen gab. Oh – ein Regenbogen. Er fand ihn wundervoll und er überlegte so manches Mal, was es mit dem Regenbogen wohl auf sich hatte. Man erzählte sich, dass am Ende des Regenbogens ein Schatz vergraben

war. Ob das stimmen konnte? Er seufzte –
denn er würde es nicht heraus finden
können. Dazu war er zu klein und würde viel
zu lange brauchen, um zum Ende des
Regenbogens zu gelangen.

Wenn er den Regen verpasst hatte und die
Nässe durch das Erdreich zu ihm floss – war
das nicht das Gleiche. Er mochte es so
gern, wenn die Regentropfen auf ihn fielen.
Wenn er „oben" war. Das war das Paradies
für ihn.

Er staunte über die Welt, die er entdeckte,
wenn er hoch kam. Ein Regenbogen. Die
Vögel in den Bäumen, die immer ein
fröhliches Lied pfiffen. So grün war alles und
bunt. Er sah auch dicke Wolken, die am
Himmel hingen und ein tosender Wind
peitschte manchmal durchs Land.

Die Erde war noch ein wenig feucht vom
letzten Regen. Irgendwann schien dann die
Sonne durch die dahin treibenden Wolken
hindurch und leckte das bisschen
Feuchtigkeit, das noch da war, gierig in sich
hinein.

Gequält schloss er die Augen. Er musste
sich sputen, dass er wieder unter die Erde
kam. Zu viel Trockenheit war gefährlich für
ihn.

Er war wirklich enttäuscht. Und auch ein
wenig zornig. Denn Gott hatte ihm ein

verdammt schweres Leben aufgebürdet. Ständig verpasste Gelegenheiten, ein Dasein in der Finsternis und die ewige Furcht, als Frühstück oder Abendessen in irgendeinem Schnabel zu enden.

Da lag er nun und schniefte für einen Regenwurm schon recht laut. Das hörte der liebe Gott und schickte ihm lächelnd eine kleine Wolke, die jetzt, in diesem Moment, nur für ihn regnen sollte.

Als die Wolke über ihm stand und schon ein paar Tropfen aus ihr auf den Regenwurm fielen, da hob er den Kopf und sagte:

„Oh – Regen! Dann bin ich doch nicht zu spät …" Er rollte sich auf, um die Regentropfen willkommen zu heißen.

„Pah, du bist ja gut!", die Regenwolke ließ sich ihren Sonderauftrag nicht schmälern.

„ER hat mich extra zu dir geschickt, weil du so am Jammern bist. Wir sind ja eigentlich schon fertig, aber er hatte Mitleid mit dir."

Der Regenwurm rieb sich die Augen. Was? Eine extra Regenwolke nur für ihn?

„Ja was denkst du denn!" Die Regenwolke plusterte sich auf. „ER ist einfach toll. Und er hat mir auch aufgetragen, dir zu sagen, wie wichtig du auf der Welt bist. Du bist genau so, wie ER dich haben wollte."

Der Regenwurm verstand die Welt nicht mehr. Gott hielt ihn für etwas Besonderes?

„Übrigens ...", die Regenwolke rieselte immer noch sanft auf ihn herab „ ... ich bin auch wichtig. Hat ER mir gesagt." Dabei machte sie sich ganz groß und war mächtig stolz.

Der Regenwurm dachte nach und zog seine kleine Stirn kraus. Er war wichtig? Soso. Glauben konnte er das kaum.
Andererseits ... hmmm ... nun ...

Langsam, sehr langsam überzog sein Gesichtchen ein Lächeln. Vielleicht, so dachte er, waren die verpassten Gelegenheiten ja gar keine verpassten Gelegenheiten. Er wusste nun überhaupt nicht mehr, wie er überhaupt darauf gekommen war, dass verpasste Regenwolken nie mehr kommen würden. Vielleicht – weil er oft sehr traurig war - er hielt sich für unbedeutend.

Er legte seinen Kopf ein wenig schief. Ja, es stimmte schon. Er haderte mit sich selbst. Ein Regenwurm war er! Wirklich nichts Besonderes.

Doch wenn Gott ihm eine einzelne Regenwolke schickte, die nur für ihn regnete ... Man stelle sich das vor - eine Wolke mit Regen nur für ihn! Dann musste er schon irgendwie wichtig sein, sinnierte er.

Und dann musste er sich ja auch nicht grämen, nicht bei jedem Regen dabei gewesen zu sein. Das konnte er schließlich ja auch nicht. Er hatte eine Aufgabe zu erfüllen.

In diesem Augenblick schien vom Himmel ein heller Strahl auf den Regenwurm herab und der tat ihm überhaupt nicht weh in den Augen.

Die Regenwolke über ihm jauchzte vor Vergnügen, als der helle Strahl sprach:

„Genau, mein kleiner Freund. Endlich hast du es begriffen. DU bist wichtig. Ich habe dir eine große Aufgabe anvertraut und dafür habe ich dich genau so gemacht, wie es richtig ist.

Du bist jeden Tag ein kleiner Held, wie du dich so durch die Erde gräbst und Luft dort hinein bringst. Und du machst die Erde locker.

Ich weiß, dass du dich sehr anstrengen musst dafür. Ich habe das Leben nicht leicht gemacht. Für kein Lebewesen. Auch du kleiner Regenwurm musst lernen und an dich glauben."

Der lichte Strahl verschwand wieder und der Regenwurm drehte sich voller Wonne in den Tropfen, die aus der Regenwolke kamen und in einer kleinen Pfütze zusammen gelaufen waren. Er war nun gar nicht mehr traurig und bekümmert. Er wusste, dass es viele Gelegenheiten für ihn geben würde, immer wieder.

Und auch wenn er mal eine verpasste – was soll`s? Gott schickte ihm wieder Momente, Gelegenheiten ... Und Gott hielt ihn für etwas Besonderes. Er war genauso richtig, wie er war.

„Hab ich`s nicht gesagt ...", meinte die Regenwolke mit stolz geschwellter Brust, wenn sie denn eine hätte „...ER ist einfach toll!"

Taruk ist entspannt, schaut sich aber mit wachem Blick um. Er hält seine Nase in die Luft und nimmt Witterung auf. Er sucht sein Rudel, doch sie wissen schon längst, dass wir hier sind. Ich kann sie spüren. Ihre kraftvolle Energie eilt ihnen voraus. Auch spüre ich ihre Freude und die Lebenslust, die sie umgibt, wie ein wärmender Kokon.

Das Rudel besteht aus zwölf Wölfen. Taruk ist der dreizehnte. Und ich quasi der vierzehnte. Ein Wolf ist schöner als der andere. Sie sind ja recht groß. Wenn ich neben Taruk stehe, befindet sich sein Rücken etwa in der Höhe meines Bauchnabels. Und wenn er mir in die Augen schaut, ist das ungefähr auf gleicher Höhe mit meinen.

Die Menschen können sie nicht sehen, außer die Wölfe lassen es zu.

Meine Mutter zum Beispiel. Und Sannoo und Eligor. Papa sieht ihn ja sowieso.

Als ich klein war, war ich oft mit Taruk beim Rudel. Meine Mutter wusste lange nicht, wo ich mich rum trieb. Papa beruhigte sie dann und meine Mutter war zufrieden. Ich traf Taruk auf der Farm von Sannoo. Damals gehörte sie noch Hazel. So wurden wir zu Freunden und unzertrennlich. Taruk und ich gehören einfach zusammen.

Als dann meine Mutter eines Tages Taruk neben mir stehen sah, flippte sie ein wenig aus. Taruk hatte beschlossen, dass es an der Zeit war, sich zu outen. Mein Vater und ich hatten mächtig zu tun, damit sie ihren Redeschwall wieder bremste. Sie plappert eh schon mehr wie jeder andere, aber wenn sie aufgeregt ist, oder Angst hat, steigert sie das Ganze in eine Art Redeschleife.

Die Wölfe umringen uns und ich höre ihre Gedanken. Sie freuen sich, uns zu sehen und wir folgen ihnen in ihre Höhle, die tief verborgen im Seelenwald liegt. Alleine würde ich sie nicht finden, obwohl ich schon oft hier war.

Aus den Gedanken der Wölfe weiß ich, dass ein Gast in der Höhle auf uns wartet. Ich habe da so meine Vermutung und richtig.

Seinen hellen Schein, der ihn ständig umgibt, sehe ich schon von Weitem. Die Höhle ist nicht vollständig dunkel. Von oben fällt Tageslicht herein und der Sandalenmann trägt dazu bei, dass die Höhle einen heimeligen Schimmer hat.

Er steht auf, als er uns kommen hört und ein breites Grinsen überzieht sein schönes Gesicht. Mit ausgebreiteten Armen kommt er auf mich zu und drückt mich dann fest an sich. Meine Flügel wollen nicht mehr im Verborgenen bleiben und zerreißen mir am Rücken meine Bluse. Ist egal. Er ist hier und ich freue mich riesig.

Wir setzen uns auf den Boden und der Mann mit dem enormen Verschleiß an Sandalen sieht mich erwartungsvoll an. Die Wölfe umringen uns hechelnd und schnüffeln an dem langen Gewand, das er trägt. Die Wölfe sind ganz aufgeregt und mit einer Hand streicht er ihnen übers Fell.

„Du bist sicherlich über die jüngsten Ereignisse informiert?"

Fragend ist mein Blick auf ihn gerichtet und er nickt. Sagen tut er nichts.

Ich ziehe meine Stirn krauselig, als ich laut weiter überlege.

„So ein Mist aber auch! Jetzt hat Luz seine schwangere Höllengöttin bei mir einquartiert und keiner weiß, was noch alles passieren wird."

Und meine Gedanken laufen weiter, ohne dass ich sie ausspreche: Loki, Hel`s Vater wird bestimmt mehr wie ärgerlich sein, eher viel mehr außer sich. Schon allein, dass Luz sie mitnahm aus seinem Reich, diente nicht dazu, seinen Blutdruck zu senken. Und jetzt ist sie auch noch schwanger von Luz! Loki wird nach Rache dürsten, das ist ja schon mal klar. Und was er mit seinem Enkel vorhat – nicht auszudenken.

Ich schüttle den Kopf heftig hin und her, als ob dann all die gruseligen Gedanken hinaus fallen würden. Ob ich mir da zu viel aufgehalst habe?

Mein Blick, der starr auf eine Höhlenwand geheftet war, löst sich aus der Erstarrung und sieht in die himmelblauen Augen des Sandalenmannes.

Der wackelt mit seinem Kopf und meint gelassen, mit neutraler Stimme:

„Ach Neria. Es ist so, wie es sein soll. Die Dinge nehmen ihren Lauf, so oder so. Ich bin nur froh, dass Sannoo sich nicht breit schlagen hat lassen. Ihr Bedarf an Luz ist gedeckt. Und du meine Liebe, du kriegst das schon hin. Und naja – was Loki sich ausdenken mag? Wer weiß das schon. Vielleicht kriegt er ja gar nichts mit, weil er zu beschäftigt ist mit seinen germanischen Götterintrigen?"

Der letzte Satz dient zur Beruhigung. Das ist mir klar. Loki kriegt alles mit. Und er hat auch gern das letzte Wort.

Aber ehrlich: ich wäre nicht die Tochter meiner Mutter, wenn ich das so hinnehmen würde. Werden wir sehen, wer das letzte Wort hat.

Und der Sandalenmann wirft seinen Kopf in den Nacken und lacht.

Ich lehne an Taruk und höre den Geschichten des Sandalenmannes zu. Auch die Ohren der Wölfe sind aufmerksam gespitzt.

Mich in dieser Welt hier bewegen zu können, erfüllt mein Herz mit unglaublicher Freude. Das ist eben der Vorteil, wenn man als Vater einen Engel hat.

Diese Welt ist so unglaublich in all seiner Schönheit, mit all seinen Wesen und Kreaturen, mit den Elementen und mit ihrer ganz eigenen Magie.

Als hätte mein leuchtender Freund meine Gedanken aufgeschnappt, sagt er:

„Habe ich euch schon mal die Geschichte von den Elementen erzählt? Ich kenne die Hüterin der Elemente. Also. Hört zu …"

Ich kuschle mich noch enger an Taruk und lausche seiner Stimme.

*Inmitten des **Feuers** stand sie.*

Die Flammen züngelten an ihr hoch, leckten hungrig an ihrem Leib, doch sie taten ihr nicht weh, verschlangen sie nicht.

Es war wie eine Vereinbarung, die sie getroffen hatten. Die feststand seit Jahrtausenden. Ihre Gültigkeit nicht verlor, wenn die Regeln eingehalten wurden.

Sie hob ihre seitlich ausgestreckten Arme - die Handflächen nach oben - ganz langsam empor.

Ihr süßes Gesicht glänzte im Schein des Feuers und auf ihren Lippen lag ein Lächeln, das die Polkappen der Eismeere hätte schmelzen können.

Das Feuer schillerte zwischen orangegelbrot auch grünlich und auf ihren ausgestreckten Handflächen krochen kleine Flämmchen umher, als suchten sie etwas.

Sie lachte und wenn man sie ansah, spürte man, dass sie glücklich war. Die Flammen reinigten sie, nahmen fort, was ihr schaden würde. Sie waren Heilung und sie hinterließen erfüllende Leere und eine wundersame Reinheit.

Jedoch musste man das Feuer lieben, ihm vertrauen, sich ihm ergeben. Dann durfte man seine Gaben empfangen.

*Und wenn sie eintauchte, das **Wasser** um sich spürte, dann war ihr, als würde sie noch einmal geboren.*

In völliger Harmonie bewegte sie sich, zärtlich umschlossen, geborgen und gehalten, wie am Beginn ihres Seins.

Sie konnte sich vom Wasser tragen lassen und sie konnte eintauchen, um in ihrem tiefsten Inneren zu forschen.

Das Wasser würde hinfort spülen, was lose genug war und dem Sog nicht standhalten konnte. Und es würde lösen, was noch an Fäden hing. Würde daran zerren und ziehen, bis sie bereit war, „ja" zu sagen.

Wasser - der Quell allen Lebens.
Alles ist im Fluss. Muss sich bewegen.
Panta rhei.

*Sie saß gerne auf dem Boden, spürte die **Erde**. Sie wühlte mit beiden Händen darin herum, fühlte die Wärme. Hob die Hände an ihre Nase und genoss den Geruch, den die Erde verströmte.*

Sie fühlte das Pochen und Vibrieren in jedem Krümel, spürte das Leben darin, die gespeicherten Wahrheiten, über Jahrtausende hinweg.

Es hatte ganz eine eigene Faszination auf sie, wie Bäume ihre Wurzeln tief hinein ins Erdreich gruben, verborgen vor allen Blicken.

Sie bekamen alles, was sie zum Leben brauchten, dort unten, wo kein Sonnenstrahl Helligkeit und Wärme brachte.

Und doch war hier Leben und wachsen, Entwicklung möglich.

Sie lag ausgestreckt auf dem Rücken, fest an den Boden geschmiegt. Ihre seitlich liegenden Hände gruben sich in die Erde und aus ihrem Körper wuchsen erst kleine und sehr zarte Wurzeln. Sie verflochten sich mit dem Erdreich und Mutter Erde, wurden kräftiger. Mit jedem Atemzug.

Tief und weit ragten ihre Wurzeln hinein in den Boden.

Zielstrebig fanden sie ihren Weg. Unaufhaltsam, wenn man sie ließ. Verbanden sie mit dem Ursprung. Und dem Jetzt und Hier.

*Tief in ihre Lungen sog sie die **Luft** ein. Schmeckte die Süße und die Fülle, spürte* *das Leben, das sich in ihr ausbreitete. Hoch auf dem Berg stand sie und der Wind umschmeichelte ihre Gestalt. Sie wusste, dass er auch erbarmungslos an ihr zerren und sie umwerfen konnte.*

Und er flüsterte ihr zärtliche Worte ins Ohr. Von Dingen, die schon lange vergangen waren und ihre Gültigkeit trotzdem nicht verloren haben.

Vom Bestand der Elemente. Vom Sein und Vergehen. Von der Ewigkeit.

In ihren Träumen ließ sie sich von der Luft umschmeicheln und vom Wind tragen, sie vertraute sich seinen Schwingen an, die sie lautlos mitnahmen in ferne Welten.

Und zu diesen Reisen lud sie alle ein und sie gesellten sich dazu ... Feuer, Wasser und Erde.

Sie feierten ein Fest zusammen. Ein Fest voller Freude und Übermut, voller Dankbarkeit.

Sie waren vereint und spürten den Gleichklang der Welt. Das eine konnte ohne das andere nicht. Sie gehörten zusammen.

Und sie sangen und tanzten. Die alten Lieder erfüllten den Raum und ihre Stimmen klangen weit in den Himmel hinauf.

Man spürte die Lust. Die Lust zu leben, alte Traditionen wieder in das Leben aufzunehmen. Sich bewusst machen, was wirklich wichtig ist.

Als der leuchtende Mann geendet hat, ist es ganz still in der Höhle.

„Oh Mann", sage ich „war das eine schöne Geschichte. Und du kennst sie wirklich? Die Hüterin der Elemente?"

Und er erwidert, mit einem kleinen Schmunzeln im Gesicht:

„Alles ist möglich meine Liebe. Das weißt du doch. Alles! In meiner Welt gibt es keine Grenzen. Die Menschen schaffen sie sich selbst in ihren Gedanken."

Manchmal – muss ich ehrlich sagen – regt es mich ein bisschen auf, dass er eine Frage oftmals nicht direkt beantwortet. Ober doof. Oder macht er das womöglich mit Absicht?

Meine Beschützerin

Hel ist wirklich eine kluge Frau. Ich habe keine Ahnung, ob man das sagen kann – Frau – sie ist ja schließlich eine Göttin. Sie begreift schnell und kann sich blitzschnell auf neue Situationen einstellen.

Ich respektiere sie. Das war`s. Wenn sie zickig wird – Göttin hin oder her – kann sie sich eine neue Bleibe suchen. Und einen neuen Job.

Obwohl ich die neue Konstellation spannend finde, brauche ich nicht mehr Probleme. Es reicht mir schon, wenn Estella und Hel aufeinander treffen. Da beide im Penthouse wohnen, passiert es des Öfteren.

Entweder gehen sie dann aneinander vorbei, ohne den jeweils anderen zur Kenntnis zu nehmen, oder sie starren sich dabei an und fixieren sich, wie zwei Kampfhähne. In diesen Momenten ist die Luft geladen, wie bei einem bevorstehenden Gewitter. Es knistert förmlich um die beiden. Aber sie akzeptieren die Gesetze, die in meiner Wohnung herrschen. Und das bedeutet, Frieden. Okay, bei den beiden ist es eher sichtbarer Unfrieden – aber sie geben Ruhe.

Die anderen Ladies in der Agentur sind noch ein wenig zurückhaltend mit ihr. Mit einer Göttin hatte noch keine von ihnen zu tun.

Hel`s Bauch wächst. Ich bin ja ehrlich gespannt auf das Baby. Luz als Vater zu haben stelle ich mir, nun - sehr problematisch vor. Außerdem kann ich mir den Teufel wirklich schlecht als Vater vorstellen. Vielleicht ein kleiner Ausflug mit Hel und dem Baby in den Zoo? Da könnten sie gleich ein Gehege frei machen für die drei.

Ich schüttle meinen Kopf und ein paar blonde Strähnen lösen sich aus meinem Zopf, die ich auch sofort aus meinem Gesicht puste. Sie kitzeln mich.

Dann schaue ich wieder auf den Bauch von Hel.

„Es dauert noch", meint sie, meinen Blick bemerkend.

„Habt ihr eigentlich schon Namen ausgesucht für das Baby? Und wisst ihr, was es wird?"

Hel steht hinter dem Schreibtisch auf und kommt auf mich zu. Etwas sarkastisch sagt sie zu mir, dass es auf jeden Fall etwas Besonderes wird, ihr Kind. Und nein. Namen haben sie noch keinen. Luz hat diesbezüglich einen sehr schlechten Geschmack, meint sie verdrossen.

Meine Hände sind vor meiner Brust gekreuzt und ich schaue ihr direkt in die Augen. Die sind mega dunkel und geheimnisvoll.

Ich sehe sie mir noch einmal genauer an, die Göttin der Unterwelt. Sie ist wunderschön. Das sind Götter halt. Ihre Schönheit springt einen sofort an und sie hat einen perfekten Körper. Nun – jetzt, da ihr Bauch wächst, verschieben sich die Proportionen etwas. Mein Blick bleibt an ihrem Busen hängen. Keine Ahnung, was für eine Körbchengröße sie von Haus aus hat – jetzt auf jeden Fall sollte sie um ein paar Buchstaben vergrößern.

Meine Augen sind starr auf ihre Hügel geheftet und ich frage mich gerade, ob sie auch stillen wird. Tun das Göttinnen? Anscheinend wird sie genug Milch haben, so meine Vermutung.

Wie wird das Baby aussehen? Also, ich finde es extrem spannend. Noch spannender wird sein, wie er oder sie sich entwickelt. Meine Güte – ob das gut gehen wird? Meine Augen rucken hoch und ich sehe sie direkt an. Ihr Blick ist amüsiert.

Ohne Vorwarnung sagt die große Göttin der Unterwelt und ohne erkennbares Gefühl in der Stimme, dass es möglich ist, dass ihr Vater, Loki, bald hier auftauchen könnte.

„Damit rechne ich seit dem Tag, als du hier bei mir gelandet bist. Was glaubst du, was er will? Wird er Ärger machen?"

Hel streicht über ihren Bauch und nickt.

„Natürlich wird er Ärger machen. Schließlich hat Luz mich mehr oder weniger aus unserer Welt entführt. Und dass er Großvater wird ... Nun, entweder er ist entzückt darüber oder er überlegt sich jetzt schon, wie er Luz eins verpassen kann. Mein Vater ist etwas unberechenbar und launisch."

Da muss ich jetzt echt laut lachen. Launisch trifft es meiner Meinung nicht mal ansatzweise. Loki ist ein Mistkäfer, eine Ausgeburt an Falschheit und ein Intrigenspinner erster Güte. Er manipuliert jeden, der es zulässt und er ist eiskalt in der Umsetzung seiner Vorhaben.

So gesehen müsste er sich mit seinem Schwiegersohn ja prächtig verstehen. Ich kenne all die Geschichten mit Luz von meiner Mutter und Sannoo. Und ehrlich – wie konnte ich mich nur auf diesen Deal einlassen? Himmel und Hölle. Das passt einfach nicht. Außer im Schuhladen.

Als ich eines Abends zuhause sitze und gerade völlig entspannt nach der Rotweinflasche greife, um mir nachzuschenken, höre ich plötzlich ein feines Surren.

Oh – ich freue mich! Denn mit einem Mal tanzt meine kleine Beschützerfee Feadona vor meinen Augen. Sie ist wieder tadellos nach der neuesten Mode gekleidet. Ein makelloses Makeup und ein knallroter Lippenstift ergänzen ihr Outfit. Ihre Flügel sind durchscheinend wie Glas und sie surren in einem hellen, feinen Ton, wenn sie fliegt. Ich finde es toll, meinen persönlichen Bodyguard zu haben. Auch wenn sie nur so groß, wie eine Barbiepuppe ist, sollte man sie niemals unterschätzen. Sie ist als Beschützerin sehr begabt.

„Hey Kleine", ruft sie mir zu und ich muss lächeln. Wer von uns beiden ist denn nun klein? Da presst sie ihre kleine Hand auf ihren Mund und kichert.

Ich klopfe auf den Platz neben mir und ganz sachte schwebt sie herunter und sitzt dann im Schneidersitz neben mir.

„Wie geht es dir?", frage ich sie. Doch ihre Antwort ist nur ein leichtes Kopfnicken, bevor sie für ihre Verhältnisse recht ernst wird.

„Bist du dir sicher, dass deine Entscheidungen bezüglich einer neuen Mitbewohnerin klug waren?"

Diese Frage habe ich mir auch schon etliche Male gestellt und so nicke ich und zucke mit den Schultern.

Feadona setzt ihr entzückendes Lächeln auf und meint dann gelassen:

„Ja. Dachte ich mir schon. Hast du die rote Trillerpfeife noch?"

„So schlimm ist es?" Meine Stimme klingt zugegebenermaßen etwas brüchig.

Die kleine Fee wackelt mit ihrem Kopf und zieht die Augenbrauen hoch. Ein Kichern verkneift sie sich jetzt. Oh weh. Dann ist es wirklich ein Desaster.

Ich muss unbedingt mit Paps sprechen. Nicht mit Sally. Ich meine den himmlischen Paps. Was hatte ich mir nur dabei gedacht? Doch jetzt darüber Tränen zu vergießen, war sinnlos. Ich hatte eindeutig das Talent, um Schwierigkeiten anzuziehen und für gute Argumente, die mich erst gar nicht so weit kommen ließen, taub zu sein.

Luz in noch größerer Not

Eines Abends klingelt es an meiner Wohnungstür. Ich bin erstaunt, denn ich erwarte niemanden mehr. Regina liegt in Katzengestalt neben mir und leckt sich hingebungsvoll das Fell. Langsam stehe ich auf. Auf Besuch habe ich überhaupt keinen Bock, aber meine Neugierde siegt.

Als ich die Tür aufmache, stehen da Hand in Hand Luz und Hel. Beide lächeln mich an und der Höllenfürst ergreift sogleich das Wort:

„Entschuldige die Störung. Aber es ist wichtig. Und es ist nicht meine Schuld. Ehrlich!"

Er hebt seine Handflächen empor, eine Geste der Unschuld. Ha! Dass ich nicht lache. Der Teufel war noch nie unschuldig an was. Wenn ich da so an Sannoo und meine Mutter denke, ganz zu schweigen von meinem Vater. Luz brockt sich immer alles selber ein. Doch seine Einsicht in dieser Beziehung ist praktisch nicht vorhanden.

Ich habe noch kein Wort gesagt. Mit dem Kopf nicke ich in Richtung meines Wohnzimmers und die beiden folgen mir.

Regina räumt das Feld und verschwindet. Ich weiß, dass sie wieder auftaucht, wenn Gefahr droht.

Der Teufel und die immer dicker werdende Hel schauen sich interessiert um. Meine Lust zu plaudern befindet sich auf dem Nullpunkt. Vor allem, wenn Luz jetzt schon seine Unschuld beteuert.

„Also?" Ich schaue die beiden abwechselnd an. Hel`s Züge sind entspannt und irgendwie amüsiert. Luz dagegen ist in Aufruhr. Es entsteht eine lange Pause und bevor ich die beiden ohne ein Wort wieder hinaus befördere, ergreift der Hörnerträger notgedrungen das Wort:

„Nun. Ja. Ähhhh. Es ist folgender maßen ..." und teuflisches Gestammel reiht sich aneinander.

Ich bin genervt und schaue Hel direkt ins Gesicht und recke mein Kinn vor. Meine Flügel wollen sich entfalten. Ich spüre sie.

„Mein Vater ist auf dem Vormarsch." Die Worte der schönen Göttin klingen, als sagte sie mir, dass leider der Zucker für den Kaffee ausgegangen ist. Zwar bedauerlich, jedoch nicht zu ändern.

„Und er ist ziemlich zornig. Okay. Zornig trifft es nicht annähernd. Er ist mega angepisst. Habe ich schon erwähnt, dass mein Vater rachsüchtig ist?"

Ihre schmale Hand wandert dabei unruhig in ihrem Schoss hin und her. Aha – so viel zu ihrer scheinbaren Gelassenheit.

Luz schaut wenig begeistert bei ihren Worten.

„Und ihr wundert euch darüber?" Meine Worte klingen verächtlich. Ist doch wahr! Was erwarten die beiden denn?

Hel`s Bedingung war, als sie Sannoo und meiner Mutter zur Flucht verhalf, das Luz sie mitnimmt.

Nicht, dass ich nicht verstehen würde, dass Hel von so einem Vater und Job die Nase voll hatte. Aber sie war schließlich die Göttin der Unterwelt. Der Teufel und sie waren sich in dieser Beziehung nicht unähnlich, hatten sie doch quasi beruflich die gleiche Richtung eingeschlagen.

Ob Göttin, oder Engel, oder Mensch – wir alle haben unsere Aufgaben zu erledigen. Und dass Loki nicht begeistert ist, dass seine Tochter das Handtuch warf – na, das konnte ich wirklich nachvollziehen.

Dass er jetzt auch noch Großvater wurde – das erhöht mit Sicherheit seinen Blutdruck in den kritischen Bereich.

Im Grunde genommen, war es mir egal. Sollten sie doch alle machen, was sie wollten. Aber warum musste ich da mit drin stecken?

„Wir wollten dich um etwas bitten", die Stimme der Göttin klingt flehentlich.

„Das Baby kann jeden Tag geboren werden. Es ist jetzt groß genug und es entscheidet das selbst. Und Luz und ich haben Angst um das Kleine. Wenn mein Vater wirklich hier auftaucht, wird er vermutlich versuchen, das Baby und mich mitzunehmen."

Ich schlage die Hand vor die Augen und verdrehe selbige.

Hel greift nach der Hand von Luz. Ich bemerke ein leichtes Zittern in ihrer Stimme, als sie weiter spricht:

„Mir war immer klar, dass ich eines Tages wieder in mein Reich zurückkehren muss. Doch Luz und ich sind uns einig, dass unser Kind vorerst nicht dieses Schicksal teilen soll. Und so bitten wir dich, dass du unser Kind in deine Obhut nimmst. Luz kann es derzeit auch nicht in sein Reich mitnehmen. Das ist auch kein Ort für ein Kind. Aber du, du bist ein halber Engel. Bei dir wird es ihm gutgehen. Und später holen wir unser Kind, wenn es größer ist."

Zwei Augenpaare sind starr auf mich gerichtet. Verdammt.

Erst jetzt verstehe ich so richtig, was meine Mutter und Sannoo mir oft erklärt haben: Manchmal hast du einfach keine Wahl. So sehr dich dein Verstand auch warnt – dein Herz spricht eine andere Sprache.

Plötzlich höre ich die leise Stimme von Luz.

„Deine Mutter und Sannoo haben mich zum Teufel geschickt …" Er lacht laut auf über seinen Witz. Doch es klingt nicht lustig.

„Ich kann es ihnen nicht verdenken. Du bist unsere einzige Hoffnung Neria."

Mein Vater wird mich verstehen. Meine Mutter und Sannoo … nun, sie werden es ebenfalls verstehen … irgendwann.

Und so nicke ich ergeben.

Erkenntnisse

Ich fahre auf die Farm zu Sannoo. Sie war immer, solange ich denken kann, mein Anker, wenn es darum ging, Klarheit in meine Gedanken zu bringen.

Als ich auf der Farm ankomme, beruhigt sich mein Herzschlag und mit einem langen Seufzer entweicht die angestaute Luft meinen Lungen.

Sannoo kommt gerade aus dem Stall und an ihrer Seite geht Eligor, ihr Sahnetörtchen, wie sie immer sagt. Die beiden halten sich an den Händen und sehen sehr zufrieden aus.

Als Sannoo und Eligor vor mir stehen, breiten beide ihre Arme aus für mich.

„Stell dir vor", die Stimme von Sannoo klingt sehr glücklich „die beiden Einhörner werden Eltern! Ist das nicht fantastisch?"

Und ich denke gerade nur, dass in der magischen Welt der Kurs anscheinend auf Nachwuchs ausgerichtet ist.

Als ich keine großen Emotionen auf diese Enthüllung zeige, nimmt mich Sannoo beiseite und ihr Gesicht ist aufmerksam.

Eligor ist ein heller Kopf und meint grummelnd „Ich muss leider weiter, hab noch so einiges zu tun ..." und schwupps ist er verschwunden. Er tätschelt noch schnell im Vorbeigehen meinen Arm und drückt Sannoo einen Kuss auf den Mund.

Dann sitzen wir in der großen Küche der Farm. Sannoo hat einen Topf mit heißer Milch für Kakao gekocht und macht noch Sahne dazu. Ich stütze meinen Kopf in meine Hände und verdrehe die Augen. Während Sannoo die Sahne schlägt, können wir eh nicht reden, es ist zu laut.

Ich höre sie aber in meinem Kopf „Es wird schon wieder Liebes", und „Luz ist der absolute Meister im Unruhestiften!".

Jetzt muss ich lachen, denn Unruhestifter ist die Untertreibung des Jahres!

Als die dampfende Kakaotasse vor mir steht und ich genüsslich die Sahne Löffelchen für Löffelchen in meinen Mund schiebe, ein Schlückchen trinke und dann die restliche Sahne gedankenverloren mit dem Löffel in die heiße Milch rühre, erscheint mir mein Problem nur noch halb so groß.

Sannoo hat vorsorglich den Topf mit der restlichen fest geschlagenen Sahne geholt und stellt sie vor mich hin. Sie zwinkert mir aufmunternd zu und sagt:

„Also – ich weiß schon Bescheid. Er war ja auch bei mir ... Nun – erzähle ..."

Schweigend hört sie mir zu. Irgendwann kommt Eligor pfeifend zur Türe herein. Doch er macht auf der Stelle eine Kehrtwendung und ist schon wieder weg. Was für ein Mann! Und das, obwohl er ein Schattenkrieger ist. Oder vielmehr war. Sannoo liebt ihn abgöttisch und Eligor liegt ihr zu Füssen.

Als ich fertig bin mit den aktuellen Ereignissen, da ist das Gesicht von Sannoo ein wenig röter geworden und ich sehe ihr an, dass sie Luz und Konsorten am liebsten den Hals umdrehen würde. Ich auch.

Die himmlische Welt besteht nicht nur aus Harfespielen und Halleluja-Singen. Wir sind den Menschen ähnlicher, als ihnen bewusst ist. Oder ist es eher umgekehrt und sie wissen es nicht?

Nehmen wir doch mich als Beispiel: Ich habe Flügel, kann die Gedanken anderer hören und auch in Gedanken kommunizieren und auch sonst habe ich eben die halbe Magie meines Vaters mitbekommen. Und doch ist mein Verhalten des Öfteren mehr als unhimmlisch. Ich mache mir da keine Gedanken drüber. Mein Freund mit dem enormen Verschleiß an Sandalen sagte einmal zu mir, dass ich genauso bin, wie Papa mich wollte. Alles an mir ist genauso richtig, wie es ist. Das hat mich wirklich enorm beruhigt und entspannt.

Vielleicht liegt in der Unvollkommenheit die Vollkommenheit.

Und Sannoo schenkt uns noch eine Tasse Kakao ein und erklärt mir mit einem angedeuteten Lächeln:

„Also. Die Dinge werden ihren Lauf nehmen. Ihr habt alles in Bewegung gebracht. Nun ist es nicht mehr aufzuhalten. Du weißt Liebes, ich und Eligor und die Tiere sind immer da für dich. Wenn du Hilfe brauchst – wir werden nicht zögern.

Hätte ich gewusst, dass nach meiner Abfuhr Luz zu dir kommt, hätte ich seine Bitte abgenickt.

Aber …", und da machte sie eine lange Pause und ich sagte auch nichts, bis sie wieder anfängt zu sprechen „… es wird seinen Sinn haben, warum er dich um Hilfe bat und du sie ihm gewährt hast. Im Universum passiert nichts ohne tieferen Sinn. Dessen kannst du dir gewiss sein."

Sie tätschelt meine Hand, die auf dem Tisch liegt und lächelt schief. Als ob ich das nicht wüsste.

Ich stehe auf und beuge mich zu ihr hinunter und drücke sie fest.

Dann gehe ich in den Stall und suche Taruk, meinen Freund.

Ich finde ihn ganz hinten, quasi in der hintersten Ecke des Stalles. Da ist auch die Box der Einhörner. Prima. Da kann ich auch gleich noch meine Aufwartung machen und ihnen gratulieren.

Eloise sehe ich an, wie glücklich sie ist. Ihr schneeweißes Fell glänzt noch mehr und ihre Augen leuchten. Das lange Horn auf ihrer Stirn scheint von innen heraus zu glühen. Ivory dagegen, ihr melancholischer Partner, lässt den Kopf hängen und sieht mit säuerlicher Miene in meine Richtung.

„Hey ihr beiden! Wie schön! Sannoo hat es mir gerade erzählt. Wunderbare Neuigkeiten!"

Ivory schnaubt nach meinen Worten. Und ich ziehe die Augenbrauen hoch.

Und da erklärt Ivory auch schon mit Grabesstimme:

„Was, wenn das Baby so drauf ist wie ich?" Und sein Kopf sinkt so tief auf den Boden, dass sein Horn schon den Boden berührt.

Ich gehe zu ihm und lege ihm einen Arm um den Hals und ziehe ihn hoch. Durch meine Hände lasse ich Engelsmagie fließen und ich spüre, wie er sich langsam entspannt. Ein Blick auf Eloise sagt mir, wie sehr sie es bekümmert, dass Ivory nur daran denkt, anstatt sich über dieses Wunder zu freuen.

Ach – Ivory ist schon immer so. Was soll man da machen? Ich kenne ihn nicht anders. Was nicht heißen soll, dass ich das toll finde. Doch … darf nicht jeder so sein, wie er eben ist? Ist er deswegen weniger wert? Gewiss nicht. Bei Luz ist das natürlich was anderes und bei diesem Gedanken, da muss ich über mich selbst lachen.

Dabei fällt mir eine Geschichte ein. Sie handelt von No Fire, einem Drachen.

Am Tag seiner Geburt war es eiskalt.

Eine Dezembernacht in den schneebedeckten Bergen, die hoch in die dunkle, von Wolken verhangene Nacht, hinauf ragten.

Die Bergspitzen kratzten am Himmel, so schien es und Gott stand gewiss an der allerobersten, höchsten Spitze und sah hinab auf sein Reich.

In der Drachenhöhle brannte in einem Steinkreis ein warmes Feuer.

Es züngelte und die Glut knackte und flüsterte und gab ihre Geheimnisse nicht preis.

An den nackten Felswänden liefen die Schatten des Feuers in einem Staccato auf und ab und warfen merkwürdige Gestalten an die Wände:

Eine gebückt gehende alte Frau, einen Adler im Flug und merkwürdige, kleine Gestalten, die über die Wände huschten.

Während dies alles geschah, quälte er sich aus seinem Ei. Er schnaufte angestrengt und versuchte seine Beine und seine kleinen Flügel zu entfalten, auszustrecken.

Seine Mutter stand neben ihm und verfolgte seine Geburt aufmerksam, bereit, jederzeit einzugreifen, wenn der Kleine ihre Hilfe benötigte.

Mit einem letzten Knacks der Eischale hatte er es endlich geschafft und er schüttelte die letzten kleinen Krümel der Eischale von sich.

Seine Haut war schillernd grün und mit kleinen, perfekten Schuppen bedeckt. Sie waren noch ganz weich, würden mit der Zeit aber ganz hart werden.

Als seine Mutter ihm das erste Mal auf den Rücken klopfte, da kam aus seinem Mund eine kleine, graue Wolke. Und auch später kam da nicht mehr heraus. Kein Feuerstrahl. Keine zischenden Flammen.

Und so gab ihm seine Mutter schon am Tag seiner Geburt den Namen No Fire, als ob sie schon wusste, dass ihr Sohn für einen Drachen ein gewaltiges Handicap haben würde.

Ihn kümmerte das nicht. Dazu war er noch zu klein.

Doch auch als No Fire größer wurde, schickte ihn seine Mutter zum Holz holen – entzünden musste sie es selbst, denn das Feuer brannte nicht, auch wenn No Fire eine Stunde darauf gepustet hätte.

Tja, und mit dem Fliegen, das wollte auch nicht so recht klappen. Er stand oben am Eingang der Berghöhle und schaute hinauf in den klaren, blauen Himmel und dann hinunter ins Tal. Die Bäume sahen nicht größer als die Nadel einer Tanne aus.

Er sah dem großen Adler bei seinem majestätischen Flug zu. Er dachte, dass der Adler ziemlich weit droben war. Sicherlich waren die Sterne nicht mehr weit.

No Fire machte große Augen und seine grünen Schuppen klapperten aufgeregt. Und er machte schnurstracks kehrt auf seinen Drachenfüßen und lief in die Höhe zurück.

Seine Mutter sagte nichts. Sie liebte ihn einfach.
Wer sagte denn, dass ein Drache immer fliegen und Feuer spucken musste?

Wenn sie da an ihren Onkel dachte, der zwar wunderbar Feuer zustande brachte, leider jedoch in den unpassendsten

Momenten. Er nießte und fackelte dabei ein ganzes Dorf ab.

Oder ihr Schwager. Der brachte es nicht fertig, länger als eine Minute in der Luft zu verbringen, weil ihm dann schlecht wurde.

Ganz zu schweigen von ihrer Urgroßmutter. Sie verbrachte mal fünfhundert Jahre ganz in der Nähe eines Klosters, des herrlichen Biers wegen, das dort gebraut wurde. Jeder noch so kleine Feuerfunken wurde sozusagen im Bier-Keim erstickt. Ganz zu schweigen, was sie für ein Chaos anrichtete, wenn sie versuchte, nach zwei Fass Bier den Nachhauseflug anzutreten. Nicht erwähnenswert, dass ihre Flugkünste sehr zu wünschen übrig ließen. In der Drachenchronik war ihre Seite heraus gerissen worden.

Eines Tages - es waren seit seiner Geburt viele Sommer und Winter vergangen - kam seine Mutter nicht wieder zurück in die Höhle.

Er wartete noch wochenlang auf sie.

Er weinte, er bettelte, er schimpfte und heulte den Mond an.
Doch sie kam nicht wieder.

No Fire schluckte seine Tränen tapfer hinunter, als er ein letztes Mal seinen Blick durch sein Zuhause schweifen ließ. Alles was im vertraut war, jede Ecke der Höhle, der süße Geruch seiner Mutter, das alles musste er nun zurück lassen. Auf einer Nische im Fels lagen noch die Schalen des Eies, aus dem er geschlüpft war. Seine Mutter war ein wenig sentimental und staubte sie regelmäßig ab.

Sie konnte ihn doch nicht einfach verlassen haben. Dazu liebte sie ihn doch viel zu sehr.

Er konnte es nicht verstehen und er beschloss fort zu gehen. Seine Drachenbeine waren nicht sehr begeistert von dieser Idee, aber eine andere Alternative gab es für No Fire nicht. Er konnte nicht noch länger auf etwas warten, das vielleicht nur noch in seinen Träumen existierte.

So lief No Fire den ganzen Tag über. In der Nacht suchte er sich im Wald eine kleine Mulde, in der er zusammen gerollt schlafen konnte.

Er träumte von einem Sonnenaufgang, der den Wald in ein warmes, gedämpftes Licht tauchte. Und von kleinen Wesen mit spitzen Ohren und durchscheinenden Flügeln, die ihn neugierig anstarrten.

Als er am Morgen seine Augen aufschlug, lag neben seinem Kopf jeweils ein kleiner Haufen Beeren und Nüsse.

Er sah sich um und hörte leises Wispern und Flüstern.

Und dann kamen sie. Wie in seinem Traum. Allerliebste kleine Wesen mit großen, strahlenden Augen. Ihre Flügel surrten leise im Morgenwind. Sie lächelten ihn an und ihre zarten Hände berührten in sanft und liebevoll.

No Fire fühlte sich so geborgen, wie schon lange nicht mehr.

Eine kleine Träne rann über seine schuppige Wange und er erzählte ihnen seine Geschichte. Dass seine Mutter fort war.
Sie setzten sich auf ihn und pusteten die Tränen fort und strichen über seine grünen Schuppen.

Die kleinen Wesen und der Drache wurden gute Freunde und er blieb einige Sommer bei ihnen.

Er half ihnen, sich um den Wald und die Tiere zu kümmern.
Denn wo Not war und eine liebe Geste gebraucht wurde, da waren die kleinen Wesen stets zur Stelle.

Und so füllte sich das einsame Herz von No Fire mit Liebe und Hoffnung. Dankbar betrachtete er seine Freunde, die ihm oft im Vorbeifliegen eine Kusshand zuwarfen.

Im darauf folgenden Sommer regnete es unaufhörlich. Die Flüsse schwollen an und traten über die Ufer.

Die kleinen Wesen wohnten hoch oben in den Baumkronen. Ihnen machte das steigende Wasser keine Angst.

Nur für No Fire war es nicht so einfach. Bekümmert sah er dem steigenden Wasser zu.

Und dann, als ein Damm – von Bibern in vielen Sommern gebaut – unter dem Druck des Wasser brach, war er auf einer kleinen Lichtung, die etwas höher lag, eingeschlossen.

Sein Drachenblut schien zu gefrieren. Er fürchtete sich und rief nach seinen Freunden.

Seine Augen waren so groß wie Teller und er drehte sich im Kreis und sah das steigende Wasser. Wäre ich doch nur ein Fisch, dachte No Fire und starrte voller Angst in das tosende Wasser, das an ihm vorbei schoss.

Und seine kleinen Freunde riefen ihm im Chor zu, immer wieder, wie ein Mantra:

„Gebrauch deine Flügel, No Fire, flieg … flieg … komm zu uns …"

No Fire nahm allen Mut zusammen, breitete seine Flügel aus und bewegte sie auf und ab. Immer fester. Er spürte die Kraft, die von ihnen ausging und er stieß einen wilden Schrei aus, stemmte seine Beine fest in den Boden und hob seine Flügel hoch hinauf und sie trugen ihn in den Himmel und die kleinen Wesen klatschten begeistert in ihre Hände.

Sie wussten, dass er sie nun verlassen würde. Seine Zeit war gekommen.

Und No Fire jauchzte und strahlte wie ein neues Fünf-Penny-Stück, als er den Himmel eroberte. Er flog Loopings, klappte seine Flügel ein und schoss wie ein Pfeil durch die Luft und am liebsten segelte er ganz oben – fast schon bei den Engeln.

Die Welt sah herrlich aus von oben. Alles war so übersichtlich und friedlich.

Und er konnte ganz schnell von einem Ort zum anderen fliegen. Er fühlte sich wunderbar und war glücklich.

Und er rief in die Wolken hinein „Mama – schau – ich kann fliegen!"

Manchmal hatte er das Gefühl, dass er von irgendwoher ein glückliches und warmes Lachen hörte. Es hörte sich an wie ein sprühendes Feuer, an dem man sich wärmen konnte. Wie ein reich gedeckter

Tisch, an den man eingeladen wurde. Seine Mama war ihm manchmal sehr nah, auch wenn er sie nicht sehen konnte.

Schweren Herzens verließ er seine kleinen Freunde im Wald. Er versprach, wieder zu kommen. Doch jetzt musste er gehen und die Erinnerung an seine Mutter glomm in ihm auf. Sie wäre bestimmt sehr stolz auf ihn – jetzt wo er fliegen gelernt hatte.

No Fire sah sich die ganze Welt an, fand neue Freunde, vergaß auch seine alten Freunde nicht und half stets denen, die seine Hilfe brauchten.

Und doch … seinem Herz fehlte das Echo eines im Gleichklang schlagenden Herzens. Noch nie war er auf seinen Reisen um die ganze Welt einem begegnet, der aussah wie er selbst. Er traf viele merkwürdige Gestalten und Geschöpfe – doch niemals einen, wie er es war. Wenn er es recht bedachte, kannte er nur seine Mutter, die aussah wie er, also vielmehr sah er ja aus, wie seine Mutter. Er schüttelte seinen großen Kopf, um wieder Ordnung in seinen Verstand zu bringen.

Er war groß geworden und wenn er seine Flügel schwang, ließ die Druckwelle das Laub an den Bäumen rascheln.

Der Winter war über Nacht gekommen, bedeckte die Landschaft mit stillen, weißen

Eiskristallen. No Fire machte das nichts aus. Seine grünen Schuppen waren dick und schützten ihn vor der Kälte des Winters. Er suchte sich verlassene Höhlen in den Bergen als Unterschlupf und manchmal wäre er schon froh gewesen, wenn er sich ein Feuer hätte machen können, so wie seine Mutter damals. Bei ihr war es immer warm und heimelig gewesen. Nicht, weil ihm kalt war oder er fror, nein nein … einfach der Gemütlichkeit wegen.

So rollte er sich in der Nacht zusammen und schloss seine Augen und dachte an die Höhle, in der er geboren wurde. Das gab ihm ein wenig Frieden.

Der Drache war einsam. Er spürte, dass ihm nach Gesellschaft verlangte. Doch wo sollte er seinesgleichen finden? Groß – grün – sanftmütig. Er war schon ein wenig anders. Das hatte ihm seine Mutter schon damals gesagt, als er noch ganz klein war und als er größer wurde, hörte sie auch nicht auf damit. Ihre Augen leuchteten vor Liebe, wenn sie ihm erzählte, wie einzigartig er war. Und dass er kein Feuer speien konnte und er nur in seinen Träumen flog – nun ja – das musste man eben nicht an die große Glocke hängen, meinte sie.

Eines Tages segelte No Fire am blauen Himmel entlang. Er war schon eine Weile unterwegs, ließ sich mit dem Wind treiben. Plötzlich hörte er ein lautes Brüllen und glühende Erde und Gestein schossen an ihm vorbei. Unter sich sah er ein tiefes Loch, aus dem Feuer, Glut und Hitze empor geschleudert wurde.

Interessiert und neugierig flog No Fire einen Kreis über dem Ungetüm. War das so einer wie er? Oder ganz viele so wie er? Er war begeistert. Das musste er sich anschauen. Vielleicht hatte er endlich seine Herde gefunden. Und Mama.

Dicht neben dem Krater setzte er zur Landung an. Dann reckte er den Kopf ganz weit vor und guckte über den Rand und rief hinein:

„Ha ... Illloooo", doch gerade in diesem Moment schoss eine Fontäne dicht neben ihm vorbei.

Erschreckt zog er seinen Kopf zurück.

Da hörte er plötzlich eine tief grollende Stimme, die verärgert schien:

„Was willst du hier? Lass mich in Ruhe ..."

No Fire war ratlos und irritiert. So was hatte er noch nie gesehen. Was war das nur? Doch er war auch fasziniert und die Lösung seines Feuer-Problems schien in greifbare Nähe zu rücken.

Und No Fire fragte mit fester Stimme:

„Wer bist du? Ich möchte auch so Feuer speien können wie du …“

Da hörte er ein dumpfes Lachen, das direkt aus der Mitte des glutroten Feuers kam.

„Ich bin ein Vulkan und mir ist es in die Wiege gelegt, Feuer zu speien. Die Menschen fürchten sich vor mir, denn ich bringe ihnen den Tod.“

„Na gut“, meinte No Fire schon etwas mutiger „auch vor mir fürchten sich die Menschen, dabei kann ich nicht mal Feuer machen.“

Und er fuhr fort:

„Aber … wie machst du das?“ Der Drache blickte in den Abgrund.

Eine kleine Weile war es still. Dann sagte der Vulkan:

„Darüber habe ich mir noch nie Gedanken gemacht. Ich tue es einfach. Aber es ist so: ich spüre einen wahnsinnigen Druck in mir, bis es nicht mehr geht, ich es nicht mehr aushalten kann. Ja und dann speie ich Feuer.“

„Woher kommt denn dieser Druck?“ fragte der Drache.

Und wieder überlegte der Vulkan einen Moment, bevor er erklärte:

„Viel sammelt sich an in mir. Über einen langen Zeitraum. Und dann ist kein Platz mehr da, nur noch der Weg nach draußen."

Nun war es an No Fire, dass er seine mächtige Stirn in Falten legte und nachdachte.

Dann spannte er seine große breite Brust, reckte sein Kinn ein wenig vor und zog seinen Bauch zusammen und pustete fest die Luft aus.

Und … nichts geschah.
Er versuchte es noch einmal und wieder und wieder, bis er ganz erschöpft war.

No Fire hörte das Blubbern des Vulkans neben sich und dachte, wie einfach es doch für ihn war, Feuer zu speien.

„Du musst es nicht nur wollen", riet ihm da der Vulkan „sondern du musst es spüren, es muss dein innigster Wunsch sein, du musst es dir vorstellen, dich sehen, wie du es tust. Deine ganze Kraft, dein Verlangen musst du geben und deine Angst vergessen. Denk an deinen Traum … sieh das Feuer vor dir … Und – was ganz wichtig ist – du musst an dich glauben, dir vertrauen."

Der Drache legte seinen großen, grünen Kopf ein wenig schief und schloss die Augen.

Und No Fire ballte sein Innerstes zusammen, legte all sein Sehnen dort hinein, spürte seine Kraft und Entschlossenheit und blies ... und ein imposanter Feuerstrahl zischte aus seinem Mund und No Fire war so glücklich, wie damals, als er das erste Mal geflogen war.

Und der Drache dachte, dass der Vulkan nicht nur sehr feurig, sondern auch sehr klug war.

Nun glaubte er auch daran, dass er finden konnte, was er suchte: seine Herde oder wenigstens ein paar, die so waren, wie er und vielleicht sogar seine Mama. Und er erinnerte sich voller Dankbarkeit an all die vielleicht etwas seltsamen, doch wundervollen Gefährten, die seinen Weg begleitet haben.

No Fire fühlte sich prächtig, denn er hatte etwas entdeckt: Glaube und Mut und Vertrauen hatten ihn ihm das erweckt, was schon immer da war. Und plötzlich fühlte er einen süßen Schmerz in seinem Inneren. Dort, wo sein Herz schlug, empfand er tiefe Zuneigung. Sie umfasste alles, was sein Leben bisher ausgemacht hatte. Und in seinen Gedanken zogen seine Weggefährten vorbei, er sah den Wald, der ihm nachts eine Ruhestätte gab und die Höhlen in den Bergen, die ihm Schutz gewährten. Die Sonne, die ihn tagsüber wärmte und der Fluss, der seinen Durst stillte. Wenn ihn der Hunger plagte – er fand stets etwas, dass das Brummeln in seinem Bauch verstummen ließ. No Fire war glücklich.

Er wunderte sich nur, dass er das alles nicht schon früher entdeckt hatte. Aber seine Mama hatte ihm schon immer gesagt, dass alles seine Zeit hat.

Ja. Keiner muss perfekt sein. Und natürlich liegt es an einem selber, durch Mut und Entschlossenheit einen Weg einzuschlagen, den man vorher für unmöglich gehalten hat.

Ich mache mir jetzt auch keine Gedanken mehr, wie alles weiter geht. Was soll's auch? Oder eben weniger Gedanken. Ein paar weniger. Kaum welche. Ach – Mist!

Überraschung

Ich bin mit Taruk unterwegs. Wenn ich den Kopf voll habe tut es unsäglich gut, mit ihm durch die Wälder zu streifen oder seine Wolfsfamilie zu besuchen.

Wir gehen an einem kleinen Bach entlang, der mitten durch den Wald fliest. Manchmal springen wir über das Rinnsal – für Taruk sowieso kein Problem und meine Flügel helfen mir dabei, keine nassen Füße zu bekommen.

Es ist so wunderschön hier und ich sehe immer wieder kleine Elfen und Zwerge. Sie winken mir zu und lachen. Nur die Zwerge sind eher nicht so zum Lachen aufgelegt. Was nicht heißen soll, dass sie nicht fröhlich sind. Man sieht es ihnen nur nicht gleich an.

Die Sonnenstrahlen finden ab und zu ihren Weg auf den Waldboden und verwandeln den Wald in eine schimmernde und glitzernde Welt.

Taruk und ich sprechen in unseren Köpfen miteinander. Das ist wohltuend. Gerade unterhalten wir uns über Hel und Luz. Soweit dazu, dass ich keinen Gedanken mehr an die beiden verschwenden wollte.

Mein Wolfsfreund meint, dass genau das passieren wird, was passieren soll. Ich nicke dazu, meine dann aber verdrossen, dass es ja nicht immer so kompliziert sein müsste und außerdem sind die Arschkarten unfair verteilt.

Da schüttelt Taruk seinen mächtigen Kopf und ich höre ihn in meinem Kopf:

„Das müsstest du zwischenzeitlich doch gelernt haben! Kompliziert macht ihr es selbst." Auf die Sache mit den Arschkarten geht er gar nicht ein.

Ich strubble durch sein Fell am Rücken. Wenn alles wirklich nur so einfach wäre!

Das kleine Bächlein gluggert in seiner monotonen, immerwährenden eigenen Melodie neben uns. Ich schaue in das klare Wasser und sehe ab und zu einen Fisch darin schwimmen. Wenn ein Sonnenstrahl den Körper eines Fisches trifft, dann erblüht ein wunderschönes Farbenspiel im Wasser. Fasziniert schaue ich zu. Der Fisch bewegt sich kaum und ich denke mir, dass er das Licht genießt, das seinen Körper in allen Farben schimmern lässt. Ob er wohl weiß, wie schön er anzusehen ist?

Stumm und langsam setze ich einen Fuß vor den anderen und Taruk geht weiter in den Wald hinein. Sicherlich verfolgt er eine interessante Spur.

Ich ziehe meine Schuhe aus und gehe langsam ins Wasser hinein. Es ist nicht sehr tief. Meine Knie werden nicht nass und es ist kühl. Gedankenverloren wate ich weiter und manchmal, wenn ich auf einen spitzen Stein trete, ziehe ich die Luft hörbar ein.

Dann stutze ich und bleibe stehen – was hat da gerade im Wasser geglitzert? Wieder ein Fisch? Vorsichtig gehen meine Füße ein paar Schritte zurück und meine Augen suchen angestrengt. Zuerst sehe ich nicht viel, denn ich habe den Boden aufgewühlt. Doch dann fällt mein Blick auf das, was meine Aufmerksamkeit vorhin auf sich zog.

Im Bächlein, zwischen Steinen und Moos, am Grund in etwa einem halben Meter Tiefe, da glitzert und blinkt es. Vorsichtig gehe ich darauf zu, um nicht wieder den Boden aufzuwirbeln. Meine Hose ist schon nass, aber das interessiert mich nicht die Bohne. Mein Blick ist starr auf das Etwas gerichtet, dass dort gut verborgen liegt. Es wundert mich, dass es meine Aufmerksamkeit gefunden hat, denn hier findet kein Sonnenstrahl den Weg zum Grund des Bächleins. Wie kann da etwas leuchten?

Dann beuge ich mich hinunter und meine Hände greifen vorsichtig ins Wasser. Mittlerweilen ist nicht nur meine Hose ziemlich nass. Meine Hände finden etwas sehr glattes. Ich ziehe daran und dann auch fester, weil ich unbedingt haben möchte, was da liegt. Dann macht es „blubb-blubb" und „kawusch" und ich lande mit dem Objekt meiner Begierde auf meinem Allerwertesten im Wasser. Egal. Das Ding ist mit Moos überzogen, doch ich sehe, was es ist: eine kleine Lampe. Ich freue mich wie ein kleines Kind darüber – denke ich doch gerade an das Märchen von Aladdin und seiner Wunderlampe.

Fest halte ich das Lämpchen in meiner Hand und wate aus dem Wasser. Von Taruk immer noch keine Spur. Er ist in seiner eigenen Welt unterwegs, da bin ich mir sicher.

Ich ziehe meine nassen Sachen aus, habe nur noch Unterwäsche an. Zum Glück ist es Sommer und warm. Meine Kleider werden schnell trocknen und derweil kann ich mir das bemooste Ding in meiner Hand genauer anschauen.

Es ist gold- oder messingfarben und fein gearbeitet. Die kleine Lampe hat einen dicken Bauch und durch den Henkel passt nur mein Zeigefinger. Der Ausguss ist lang gezogen und ich kneife ein Auge zu und spähe hinein.

Noch an das Märchen von Aladdin denkend, reibe ich am Lampenbauch hin und her und bin gespannt. Aber es passiert nichts und ich bin enttäuscht. Habe ich vielleicht im falschen Rhythmus daran gerubbelt? Ich werde nicht aufgeben, das ist ja mal klar.

Meine Kleidung habe ich an Büsche zum Trocknen gehängt und jetzt sitze ich im weichen Moos und halte die Lampe vor meine Augen. Vorsichtig entferne ich das Moos darauf und plötzlich sehe ich den kleinen Deckel, der auf dem Bauch der Lampe sitzt. Der sitzt aber fest und lässt sich nicht entfernen.

Ich befreie alles vom Moos und tupfe die kleine Lampe mit einem Taschentuch trocken. Sie glänzt und ich versuche erneut der Lampe ihr vermeintliches Geheimnis zu entlocken und reibe vorsichtig an ihr.

Was jetzt passiert, auf das habe ich zwar insgeheim gehofft, jedoch realistischer Weise nicht gerechnet. Es hört sich ja auch an, als wäre die Lampe einem Märchenbuch entsprungen.

Doch de facto ist - eine kleine Rauchsäule steigt aus dem Lämpchen empor, wird größer und größer.

Die Lampe ist mir aus der Hand gefallen und ich schaue mit offenem Mund zu, was weiter passiert.

Als Rauch und Nebel verschwunden sind, steht ein Mann vor mir. Er könnte Mister Universum sein und er streckt sich in alle Richtungen. Er hat mich zwar bemerkt, doch momentan ist seine ganze Aufmerksamkeit auf seine Leibesertüchtigung ausgerichtet.

Sein Oberkörper und seine Füße sind nackt und seine Beine bedecken zum Glück hellbraune Lederhosen. Ich höre manchmal seine Knochen ein wenig knacken, als er sich in alle Himmelsrichtungen streckt.

Sein Haar ist lang und dunkel und er hat ein scharf geschnittenes, sympathisches Gesicht. Dunkle Augen sind umgeben von langen Wimpern und ich frage mich gerade, wie er wohl aussieht, wenn er lacht.

Noch liegt die Ernsthaftigkeit und auch sowas wie Nichtverstehen in seinem Blick. Mich noch immer ignorierend macht er ein paar Schritte. Sehr unsicher noch. Wer weiß, wie lange er in der Lampe eingesperrt war und vor allem, wer ihn da eingesperrt hat.

Dann endlich hat er sich soweit erholt, dass er seine Haare mit seinen Fingern durch kämmt, sie schüttelt und mir einen interessierten Blick zu wirft.

Ich stehe langsam auf und mit einem Mal wird mir bewusst, dass ich nichts trage, außer Unterwäsche. Oh herrjemineh. Aber egal. Jetzt ist es zu spät dafür. Und ich bin mal wieder richtig froh, dass es an mir nichts gibt, wofür ich mich schämen müsste.

Meine Flügel wollen sich zeigen und ich lasse es zu.

Dann gehe ich einen Schritt auf ihn zu und sage „Hallo …", und „… mein Name ist Neria."

Und dann erscheint ein breites Lächeln auf seinem Gesicht und er sagt – nein – vielmehr er haucht mit einer tiefen, melodischen Stimme:

„Ich grüße dich Neria – meine Retterin!" Seine Stimme klingt eingerostet und rauh.

Und um mich ist es geschehen, jede Faser meines Herzens, jede Pore auf meiner Haut, jede Zelle meines Körpers, driftet auf ihn zu, als ich stammele:

„Wow – das ist ja der Hammer!"

Der Mann aus dem Lämpchen fängt zu lachen an, seine Muskeln spannen sich am Waschbrett-Bauch und ich kann meinen Blick nicht von ihm abwenden.

Er kommt auf mich zu und dann bleibt er verblüfft einen Moment stehen. Er betrachtet meine schneeweißen Flügel und legt seinen Kopf ein wenig schief.

„Was bist du?" Seine Frage klingt neugierig.

Und ich – endlich habe ich meine Fassung wieder gefunden und meinen Körper und seine Reaktionen auf einen gewissen

Lampenmann wieder in den Normalbereich gebracht – sage:

„Und wer bist du? Wie ist dein Name? Woher kommst du und wie lange warst du in der Lampe gefangen? Und vor allem – wer hat dich da reingebracht?"

Wir stehen fast Nase an Nase, als er eine Hand hebt und damit sanft über meinen Arm streicht. Puh. Ich blähe meine Nasenflügel und atme ihn ein. Er riecht nach Abenteuer. Hmm …ich weiß nicht genau, würde aber sagen, er riecht nach Wald und Sonne, nach einer frischen Brise des Ozeans und nach Holz, erdig. Ach – keine Ahnung. Auf jeden Fall riecht er fabulös. Anziehend.

„Ich bin Edlony."

Seine Augen ruhen auf mir und ich bemerke, wie sein Blick dabei voller Neugier auf mir verweilt. Sein Blick verschlingt mich und ich bemerke an ihm, wie auch an mir das Interesse, das in uns beiden zum Leben erwacht ist. Später. So leid es mir tut, das muss warten.

„Was machst du in der Lampe?" Ich runzle meine Stirn und bin gespannt, was er zu erzählen hat.

Doch erst einmal sagt er nichts mehr, schaut mich nur an.

Da plötzlich höre ich ein Knacken, wie von kleinen Zweigen, die brechen und in meinem Kopf ist Taruk. Ein besorgter Taruk. Ich gebe Entwarnung, doch ich spüre, dass mein Freund mit Fell sich nicht so schnell zufrieden gibt.

Mit einem großen Satz steht er vor mir und schaut Edlony grimmig an.

Und Mister Universum steht mit einem Mal breitbeinig in Flammen da und hält ein imposantes Schwert in der Hand.

Ach du heiliger Strohsack! Die Flammen züngeln an seinen Körper empor, lecken an ihm und seine Haare sehen aus wie ein glühender Stern. Ich weiß, dass Taruk und er sich in Hab-Acht-Stellung befinden. Sie fixieren sich und lassen mich dabei nicht aus den Augen.

Beschwichtigend hebe ich meine Hände und meine Flügel verschwinden wieder.

„Hey hey … alles gut ihr beiden. Nur keine Aufregung jetzt."

Beide werfen mir einen flüchtigen Blick zu und entspannen sich. Gott sei Dank. Ich streiche Taruk übers Fell und nicke ihm zu. Er verschwindet so schnell, wie er kam und wieder einmal bin ich dankbar und froh, dass ich so beschützt werde.

Jetzt wende ich mich aber wieder voll und ganz dem Flammenmann zu. Die Flammen sind erloschen und er steht einfach nur da und schaut mich an. Er hat keine Ahnung, was sein Anblick in mir an Aufruhr verursacht. Der Typ ist einfach atemberaubend. Und sein Körper ebenso. Heiliger Strohsack! Und er scheint wirklich so unbedarft und naiv zu sein, wie ein Welpe.

Ich möchte jetzt nach Hause gehen. Mein Bedarf an Abenteuern ist für heute gedeckt. Meine nassen Sachen sind zum Glück so einiger maßen trocken und ich ziehe sie mir über. Edlony folgt jeder meiner Bewegungen mit starrem Blick. Das kann ja heiter werden.

„Gehst du jetzt wieder zurück in die Lampe?" Meine Frage war nicht wirklich ernsthaft gemeint, doch er antwortet mit undurchdringlicher Miene:

„Wenn du es wünscht Herrin?" und dabei verbeugt er sich vor mir.

Erst jetzt wird mir bewusst, dass ich schätzungsweise ab sofort einen neuen Untermieter in meinem Zuhause habe. Da ich kein Zimmer mehr frei habe, seitdem Hel eingezogen ist, wäre die Lampe sicherlich die einfachste Lösung.

„Ich gehe dahin, wohin auch du gehst." Die Worte von Edlony veranlassen mein linkes Augenlid dazu, unkontrolliert zu zucken. Da habe ich mit meiner Vermutung ja voll ins Schwarze getroffen.

Ich rufe nach Taruk, zeige auf die Lampe und Edlony verschwindet sofort brav in einer Rauchsäule darin.

Irgendwie muss ich gerade an meine Mutter und Sannoo denken. So langsam verstehe ich, was die beiden in all den Jahren mitgemacht haben. Herrjemineh.

Als ich den Schlüssel in meine Haustüre stecke, ist alles ruhig. Oh wie schön! Ich greife zum Telefon und rufe im Schuhladen an. Wie praktisch – Sannoo geht ans Telefon. Da ich mich ungern mit langen Vorreden aufhalte, frage ich Sannoo, ob sie mit meinem Vater und meiner Mutter heute Abend zu mir kommen können. Sannoo sagt gar nichts dazu, außer „Logo".

Das habe ich schon immer an ihr geschätzt: sie fragt nicht lange, auch wenn ihr eine Vorahnung den Abgrund an der Klippe schon zeigt. Sie ist da, wenn man sie braucht.

Da ist meine Mutter schon anders gestrickt. Sie macht sich definitiv zu viele Sorgen. Nun, momentan wären sie durchaus angebracht. Und mein Vater – er ist ein

Engel und sieht die Dinge eh etwas anders. Da ich ein halber Mensch und die Tochter meiner Mutter bin, mache ich mir immerhin noch halb so viele Sorgen. Na Bravo!

Das Leben gibt Gas

Als es am Abend an der Tür klingelt, gehe ich relativ entspannt sie zu öffnen. Vor der Tür stehen mein Vater und meine Mutter und er hat den Arm um meine Mum gelegt und sie schmiegt sich an ihn. Sannoo hat ihr strahlendstes Lächeln parat, als ich in ihre Augen schaue. Doch ich sehe die Wachsamkeit darin. Alle drei sehen aus, als hätte ich sie eingeladen, der Premiere der „Rocky Horror Picture Show" beizuwohnen.

Ich unterdrücke einen Schluchzer. Keinen Wein-Schluchzer – ich beiße mir auf die Lippen, um nicht loszulachen. Obwohl ich mir Sorgen mache, sehe ich die Situation als äußerst amüsant an. Was die drei wohl sagen werden, wenn ich ihnen die Lampe samt Inhalt präsentiere? Schade, dass Sannoo ihren Eligor nicht mitgebracht hat. Er hat auch immer ein flottes Sprüchlein auf Lager.

Ich habe vorsichtshalber alle Fenster geschlossen und erwarte keinen Besuch mehr. Hel habe ich regelrecht verboten, heute bei mir aufzutauchen. Die Mädels sind begleitungstechnisch unterwegs, also auch keine Möglichkeit, mich zu stören. Estella ist schon seit Tagen unauffindbar und so müssten wir unter uns sein.

Gerade in diesem Moment höre ich in weiter Ferne ein dunkles, angenehmes Lachen und

116

ich zucke ein wenig zusammen. Mein Vater auch. Das war das Lachen meines himmlischen Vaters. Es gibt mir zu denken.

Wir sitzen im Wohnzimmer und meine Mutter plappert fröhlich und erzählt uns das Neueste vom Schuhladen. Der Umsatz ist prächtig sagt sie gerade und mein Vater nickt dazu. Er lächelt mich an und ich freue mich so, dass die beiden so glücklich sind. Nur Sannoo schaut mich interessiert an, so in etwa, als würde die Vorstellung in ein paar Minuten losgehen und die Vorfreude steigt ins Unermessliche. Sie weiß genau, dass etwas im Busch ist und aus ihren Gedanken lese ich, dass auch mein Vater in Hab-acht-Stellung ist. Nur Mama hat keine Ahnung – ihr Mund steht einfach nicht still und ihre Augen leuchten dabei. Ich glaube, das wird sich gleich ändern.

Ich hole Rotweingläser und zwei Flaschen meines besten Rotweins, stelle sie vor meine Lieben und schenke ein. Dann hole ich das Lämpchen und stelle es auf den Tisch. Alle sehen mich gespannt an und meine Mutter verstummt auf der Stelle.

„Ähhh – ja nun" beginne ich.

Und Sannoo meint sachlich:

„Ist es das, für was ich es halte?" Und ich nicke und verziehe meinen Mund zu einem schiefen Grinsen.

Ich sehe, wie mein Vater seine Hände vors Gesicht hält und den Kopf schüttelt. Meine Mutter ist ein wenig blasser geworden und Sannoo meint fröhlich, „ich soll jetzt endlich mal machen".

Ich reibe an der Lampe und im gleichen Moment steigt die Rauchsäule aus dem schmalen Ausguss der Lampe.

Als der Lampengeist vor uns steht, erhebe ich mich und hole noch ein Weinglas. Drei Augenpaare sind auf Edlony gerichtet und alle Drei sind förmlich erstarrt.

Mit Schwung stelle ich das Glas auf den Tisch, hüstle kurz und sage dann:

„Darf ich vorstellen: das ist Edlony. Ich habe ihn quasi gefunden."

Der Mund meiner Mutter hat ein „O" geformt und ihre Augen sind weit aufgerissen. Mein Vater schaut sie schräg von der Seite an.

Und Sannoo, die Gute sagt, unverwandt auf Edlony schauend:

„Süße, hab ich dir eigentlich schon erzählt, dass heute das Einhorn geboren wurde? Ivory und Eloise sind überglücklich. Der Kleine heißt Clif."

Diese Botschaft kommt nur teilweise bei mir an, denn in diesem Moment gleitet über das

Gesicht von Edlony ein hinreißendes Lächeln und ihn immer noch anstarrend stelle ich ihm meine Familie vor.

Er beugt sich zu meiner, immer noch sprachlosen Mutter hinunter, nimmt ihre Hand und haucht einen Kuss darauf. Seine langen schwarzen Haare fallen ihm ins Gesicht dabei.

„Ich freue mich die Mutter meiner Retterin kennen zu lernen" sagt er. Das Herz meiner Mum hat er schon mal gewonnen, das steht fest.

Mein Vater steht auf und breitet seine Flügel aus. Das Hemd ist mal wieder hin. Formvollendet verbeugt sich die zur Gestalt gewordene Rauchsäule vor ihm und die sagt nur „Eine Ehre für mich, Vater meiner Retterin."

Als er sich Sannoo zuwendet, sehe ich das Glitzern in den Augen meiner Patentante. Sie ist amüsiert. Edlony geht um den Tisch herum und stellt sich vor sie hin.

Sannoo beugt sich vor und nimmt ihn kurz in die Arme, drückt in sanft und sagt dann ganz leise etwas in sein Ohr. Das Lächeln von Edlony wirkt wie eingefroren und er nickt kaum wahrnehmbar. Ohhh hooooo.

Ich habe sie später einmal gefragt, was sie ihm ins Ohr geflüstert hat und sie meinte dann augenzwinkernd, dass sie ihm nur gesagt hat, er soll mich glücklich machen und wenn er das nicht täte, dann könne sie für nichts garantieren. Die gute Sannoo.

Dann sitzen wir alle am Tisch, schauen von einem zum Anderen, nippen am Wein und meine Mutter findet ihre Stimme wieder:

„Erzähl uns alles!"

So viel gibt es da ja nicht zu erzählen, aber ich verstehe ihre Neugierde nur zu gut.

Während ich erzähle, sitzt Edlony neben mir auf dem Zweisitzer-Sofa und rückt noch etwas näher zu mir. Das lässt mich kurz stocken, als ich das finstere Gesicht meines Vaters bemerke. Er hat das Näherrücken auch gesehen. Der Blick meiner Mutter haftet erwartungsvoll auf Edlony. Ich glaube mal, sie findet ihn lecker.

Just in diesem Moment klingelt es Sturm an meiner Haustüre. Ich zucke entschuldigend mit den Schultern. Keine Ahnung, wer da Einlass begehrt. Das war nicht vorgesehen. Doch ehrlich gesagt, bin ich auch erleichtert, wenigstens ein oder zwei Minuten aus dieser Szenerie zu entkommen.

Edlony verschwindet geistesgegenwärtig in der Lampe und zurück bleibt nur die kleine Lampe, die auf dem Tisch steht.

Als ich die Türe schwungvoll aufreiße, steht da mit rotem Kopf Luz. Er kickt mich fast zur Seite und stürmt energiegeladen an mir vorbei und ruft dabei laut:

„Wo ist sie? Verdammt, was soll das? Wo ist Hel?"

Als Luz im Wohnzimmer angekommen ist, bleibt er abrupt stehen. Er hatte aber so viel Schwung drauf, dass er jetzt gefährlich schwankt.

Nunmehr sind drei Augenpaare weder erfreut noch einladend auf ihn gerichtet.

Für einen Moment aus seiner Rolle gerissen, stammelt Luz:

„Wo bin ich denn hier rein geraten? Familientreffen?"

Ich schlendere ins Wohnzimmer, hab keine Eile dabei.

Mein Vater hat schon wieder seine Flügel ausgefahren und Mum hinter sich geschoben. Sannoo steht neben den beiden, die Hände wie zum Kampf vor sich geballt. Sie stehen in einer Reihe.

Luz geht einen Schritt zurück und schaut mich irritiert an.

„Alle setzen!" Meine Tonlage erfüllt seinen Zweck und alle sitzen brav um den Couchtisch. Ich hole schon wieder ein neues Weinglas. Dann frage ich Luz mit unbeteiligter Stimme, was zum Geier er hier will.

„Hel ist nicht auffindbar. Ich habe sie überall gesucht und mache mir ernsthaft Sorgen. Das Baby wird bald geboren, es kann jeden Tag soweit sein. Höllenkacke! Was, wenn Loki sie erwischt hat?"

Das wäre wirklich ein riesen Dilemma – keine Frage. Um irgendwie die bleierne Stille zu durchbrechen, die sich nach den Worten von Luz breit macht, fasse ich mit monotoner Stimme die Sachlage mal kurz zusammen:

„Luz ist der Teufel und er sucht seine Gefährtin, deren Name Hel ist. Hel ist die Tochter Lokis, des fiesen und gemeinen germanischen Gottes und Hel ist die Gebieterin über Helheim, die Unterwelt der Götter. Also haben praktisch Luz und sie den gleichen Job. Zu allem Überfluss ist Hel schwanger von Luz und das Baby könnte jeden Moment geboren werden. Ach ja. Und nicht zu vergessen, dass Loki wahnsinnig sauer ist auf Luz, meine Eltern und Sannoo und natürlich auf seine Tochter, die ihren Platz zugunsten von Luz in Helheim aufgegeben hat. Und jetzt brauchen wir einen sicheren Platz für die Göttin der Unterwelt und das ungeborene Baby."

Ich überlege gerade, ob ich nicht etwas in meiner Zusammenfassung vergessen habe.

Meine Eltern und Sannoo stehen etwas bedröppelt beieinander und Luz hebt seine Augenbrauen fast bis an den Haaransatz. Er sieht nicht weniger bedröppelt aus. Wahrscheinlich war sich noch niemand von den Anwesenden hier - vor allem Luz nicht - über die ganze Tragweite der Geschehnisse im Klaren. Ich eingeschlossen. Ich glaube, dass jeder von uns einen guten Verdrängungsmechanismus hat.

Ich hebe entschuldigend meine Hände und grinse etwas unsicher – wobei ich ja nun nichts für dieses Dilemma kann. Vielleicht hätte ich besser nichts gesagt.

Wir setzen uns und greifen nach unseren Weingläsern. Edlony in seiner Lampe hat es da jetzt wahrlich gut.

Nervenaufreibende Zeiten

Ich sitze hinter meinem Schreibtisch im Büro und telefoniere mit einem Kunden. Der ist echt sauer. Er war mit Odette am Abend vorher verabredet. Der Abend war an und für sich ganz schön meint er gerade. Jedoch dessen Ausgang hat ihn ins Krankenhaus gebracht. Kann ich mir gut vorstellen. Odette hat mich in der Nacht noch angerufen und von dem Typen erzählt.

Zum wiederholten Male erkläre ich ihm, dass Angrapschen meiner Damen nicht zum Service gehört. Außer natürlich, dass meine Damen dem nicht abgeneigt sind. Das ist dann ihre Sache. Odette jedoch hat ihm zig Mal erklärt, dass er seine Finger bei sich lassen soll.

Was dann passiert ist, wundert mich ehrlich gesagt nicht. Odette hat ihm noch im Restaurant die Nase gebrochen. Sie hat sich bei mir entschuldigt, meinte aber, dass so was bei ihr dann automatisch passiert. Sie hat ja einige schwarze Gürtel in verschiedenen Disziplinen und da passiert das dann schon mal, wenn sie verbal nicht weiter kommt. Ich bekomme gerade Kopfschmerzen.

Ich seufze tief auf. Ehrlich gesagt, habe ich gerade wirklich andere Dinge auf meiner to-do-Liste.

Meine Eltern und Sannoo gingen gestern Abend besorgt nach Hause. Luz nahmen sie gleich mit. Ich kann ihn schon verstehen. Keine Ahnung, was mit Hel los ist. Bei mir hat sie drei Wochen Urlaub beantragt. Sie sagte mir, dass sie die bei Luz verbringen wollte, weil das Baby die nächsten Tage kommen sollte. Das Büro ist derzeit nur sporadisch von mir besetzt. Ich kann es nicht ändern, brauche aber schnellst möglich eine Lösung.

Apropos Baby – ich versprach Sannoo, dass ich bald zu ihr und Eligor auf die Farm kommen will, um das Einhorn-Baby Clif willkommen zu heißen. Sie sagten, es sei herzallerliebst und Ivory nutzt jede Gelegenheit, dies kund zu tun. Ich freute mich auf das kleine Kerlchen und den Zuwachs auf der Farm.

Als nächstes stelle ich den Anrufbeantworter an und denke daran, dass ich für den missglückten Einsatz von Odette keinen Cent sehen werde. So ein Mist. Aber auch nicht zu ändern.

Ich schließe sorgfältig die Bürotüre ab und gehe in meine Wohnung. Mein Magen knurrt und ich kaue auf meiner Unterlippe. Nicht so sehr wegen des Hungergefühls, sondern weil ich mir mittlerweilen auch große Sorgen um Hel mache. Wenn Loki, ihr Vater, seine Finger im Spiel hat, wird es brenzlig. Ich glaube nicht, dass er ihr was antun wird, obwohl er ein Hohlkopf erster Güte ist. Schließlich ist sie seine Tochter und macht ihn bald zum Großvater. Doch wenn Loki verstimmt ist, macht ihn das unberechenbar.

Und zum anderen ist ein oberbesorgter Luz eine tickende Zeitbombe. Er war gestern Abend außer sich und tat mir fast schon ein wenig leid.

Ich hole mir aus dem Kühlschrank einen Joghurt und setze mich aufs Sofa. Als ich mir den ersten Löffel reinschiebe, erscheint Estella als Katze und hüpft zu mir zwischen die kuschligen Kissen.

Erstaunt frage ich sie, wo sie denn so lange gewesen ist und erzähle ihr, das hier so einiges los war. Da fällt mir auch wieder Edlony ein und die Lampe. Sie steht zwischen den Blumen auf der Fensterbank. Ich reibe mir mit den Händen über die Schläfen und selbst meine Engelenergie ist so ziemlich erschöpft.

Da fängt es an zu flirren und zu summen und aus Regina, der Katze, wird Estella, die Amazone. Sie räkelt sich auf dem breiten Sofa und schüttelt sich. Sie lächelt, wie sie das meistens tut und meint:

„Du siehst nicht gut aus Neria!" und „Ich muss mit dir reden!!"

Beide Aussagen tragen nicht dazu bei, dass ich mich besser fühle. Ich löffle weiter meinen Joghurt in den Mund und nicke ihr zu.

„Also, es ist so …", beginnt sie und alle meine Sinne sind in Alarmbereitschaft „Hel ist bei mir und das Baby wird nicht mehr lange auf sich warten lassen. In ihrem Fall weiß man das ja nicht so genau, doch Hel meint, es ist bald soweit. Und sie hat Angst vor ihrem Vater."

Ich strenge mich an, sie weiter anzusehen und ruhig zu bleiben. Meine Flügel wollen sich zeigen, doch ich halte sie noch zurück.

Estella fährt fort:

„Sie kam in größter Not zu mir, wusste nicht wohin und ich konnte sie nicht abweisen. Warum sie ausgerechnet zu mir kam – frag mich nicht! Ist mir schleierhaft.

Ich kann sie aber nicht bei mir behalten. Das geht nicht. Neria …" ihre Stimme wird flehentlich und eindringlich „ … du musst uns helfen. Wir brauchen einen sicheren Platz, wo sie das Baby zur Welt bringen kann."

Und als ob das nicht schon wieder genug wäre, rumpelt es in der Lampe zwischen den Blumen und in einer kleinen

Rauchsäule erscheint Edlony auf der Bildfläche.

Ich schlage mir die Hände vors Gesicht und meine Flügel reißen mein Shirt entzwei.

Estella springt auf. Ihre Augen sind zusammen gekniffen und das Lächeln auf ihrem Gesicht ist verschwunden. Sie hat aus dem Nichts einen kleinen Dolch gezaubert und hält ihn fest in einer Hand und richtet ihn auf den Lampengeist.

Ich klopfe beruhigend auf das Sofa und lade sie ein, mit mir Platz zu nehmen. Nachdem ich noch versichere, dass alles in Ordnung ist, setzen sich die beiden und beäugen sich eingehend. Estella fängt schon wieder an zu lächeln und leckt sich leicht über ihre Lippen. Ah ja. Sie hat auch schon bemerkt, wie hübsch Edlony ist. Ich stelle sie einander vor und da endlich entspannt sich auch die sehr ansehnliche Rauchsäule.

In mir macht sich eine Unruhe und Verstimmtheit breit und ich glaube, dass ich weiß, woher sie kommt. Ich spüre das Interesse von Estella an Edlony und das missfällt mir.

Edlony ist so unbedarft und naiv, wie ich das bei ihm nie vermutet hätte. Das macht ihn für mich umso attraktiver. Verflixt. Bisher haben mich Männer nicht sonderlich interessiert. Ich war immer so beschäftigt mit meinem halben Engeldasein. Dann später auch mit dem Schuhladen von Mum und Dad. Und Taruk und Sannoo gehört ebenfalls ein Großteil meiner Zeit. Da bleibt nicht mehr viel für das andere Geschlecht übrig. Sicher, ich habe schon recht früh bemerkt, dass ich auf die Männerwelt eine extreme Anziehung ausübe. Ich kenne das von meinem Vater. Im Schuhladen überschlagen sich die Frauen, wollen nur von ihm bedient werden. Das ist die Magie, die ihn und mich umschwirrt, wie die Bienen den Honig.

Doch seit ich Edlony mit samt seiner Lampe gefunden habe, hat sich etwas verändert in mir. Ich glaube, auch er spürt diese Anziehungskraft, weswegen er auf dem Sofa letztens auch näher zu mir gerückt ist. Hmmm. Sollte ich mir jetzt darüber Gedanken machen?

„Ich habe euch gehört", sagt Edlony da in meine Überlegungen hinein „Dich und die da." Dabei zeigt er mit einer Hand auf Estella. Er meint es nicht böse, als er auf Estella zeigt und sie mit „die da" betitelt.

„Ihr habt Probleme?" Seine Frage klingt sehr erwachsen und er wartet auf eine Antwort.

Ich zucke mit den Schultern und sage einfach nur „Ja". Durchdringend schaue ich Estella an und sie nickt kaum wahrnehmbar.

Und so fasse ich für Edlony die Ereignisse in aller Kürze zusammen. Er hört aufmerksam zu. Manchmal kneift er die Augenbrauen zusammen, dann wieder huscht ein Lächeln über sein Gesicht und ein anderes Mal scheint er etwas fassungslos zu sein. Er kratzt sich des Öfteren am Kopf oder streicht gedankenverloren über sein Kinn.

Estella`s Blick ist unverwandt auf Edlony gerichtet, den das aber überhaupt nicht stört und aus der Fassung bringt.

„Was können wir tun?" Meine Frage hängt in der Luft wie dichter Nebel. Ich stehe auf und wandere unruhig im Wohnzimmer auf und ab. Dann hole ich drei Weingläser und eine Flasche Rotwein und setze mich wieder. Zwischen die beiden wohlgemerkt. Jetzt bin ich mit Sicherheit mehr Mensch als Engel.

„Es muss bald sein." Eindringlich erinnert mich Estella daran.

Ich habe den Eindruck, dass Hel für Estella wichtig geworden ist, beziehungsweise auch umgekehrt. Das die beiden mittlerweilen Sympathie für einander empfinden. Als ich meine Freundin ansehe, nickt sie. Ich nehme mir vor, sie irgendwann einmal danach zu fragen, denn ich finde diesen Spagat – vom Feind zum Freund – schon verwunderlich.

Mit meinem gefüllten Weinglas in der Hand schließe ich die Augen. Ich schreibe auf meine geistige Einkaufsliste „Rotwein", da mein Vorrat doch merklich unter den jüngsten Ereignissen gelitten hat.

„Ich könnte sie zu Taruk und dem Wolfsrudel bringe", schlage ich vor. Vielleicht nicht der beste Vorschlag, aber wenigstens besser, als keinen Vorschlag zu haben.

Estella grinst schon wieder und zwinkert mir bei ihren nächsten Worten zu:

„Wenn Hel dann einen Jungen zur Welt bringt, kann sie ihn Tarzan nennen." Und sie bricht in schallendes Gelächter aus.

Meine Mundwinkel zucken. Dieser Gedanke hat schon was. Edy sieht mich verständnislos an.

Wir wälzen Pro und Contra noch eine Weile hin und her. Der Mann aus der Lampe sagt kein Wort zu unseren Ausführungen. Er sieht jetzt nicht wirklich begeistert aus, eher macht er den Eindruck, dass er das alles irgendwie interessant findet, vielleicht auch spannend. Als hätte er gerade eine neue Spezies entdeckt. Was weiß ich. Ich habe keine Ahnung, wie lange er in der Lampe allein und völlig abgeschottet war.

„Ich werde dir helfen Herrin und bei dir sein."

Edlony ist wirklich süß. Und so beschließen wir – mangels eines besseren Planes – dass ich morgen zu Sannoo auf die Farm fahre und mit Taruk spreche.

Am nächsten Morgen stehe ich mit dem hübschen Lampenmann schon recht früh bei Sannoo auf der Farm und klopfe an die hintere Türe des Hauses. Sie öffnet auch sofort und schließt mich mit einem strahlenden Lächeln in ihre Arme. Dann kommt Edlony dran.

„Frühstück ist gerade fertig", meint sie gutgelaunt und dann „Danach gehen wir in den Stall zu den Einhörnern."

Eligor ist in der Küche am Herd beschäftigt. Die Spiegeleier und der gebratenen Speck riechen köstlich und er dreht sich schnell um zu uns, um mir einen Kuss auf die Stirn zu drücken. Edlony klopft er freundlich auf die Schulter. Mein Freund aus der Lampe scheint ein wenig befangen zu sein. Wahrscheinlich hatte er in den letzten hundert Jahren nicht mehr so viel Menschen um sich, wie in den letzten Tagen. Ganz abgesehen von der körperlichen Nähe und den vielen Schwierigkeiten.

Wir plaudern belang loses Zeugs und ab und zu beantwortet Edlony eine Frage. Zum Beispiel, wie lange er in der Lampe saß, bis ich ihn gefunden habe. Oder ob er sie verlassen und hinein schlüpfen kann, so wie er es wünscht. Und wie alt er ist.

Der adrette Lampenmann streicht sich seine schwarzen Haare zurück. Seine Finger sind lang. Ob er wohl Klavier spielt, denke ich gerade. Dann beantwortet er emotionslos all unsere Fragen:

„Zu meinem Alter kann ich nicht viel sagen. Irgendwann habe ich zu zählen aufgehört und Zeit ist eher zweitrangig. Das betrifft auch meine Verweildauer in der Lampe. Es können hundert oder auch fünfhundert Jahre gewesen sein. Und – wenn mich jemand aus meiner Lampe befreit hat, kann ich hinein und heraus, so wie ich es möchte. Ich diene zwar meinem Retter oder meiner Retterin ..." dabei schaut er sanft in meine Augen „ ... jedoch unterliege ich keinerlei Einschränkungen. Alles, was sonst so erzählt wird, sind Märchen."

„Was macht man denn so in hundert Jahren in der Lampe, bevor ein Retter auftaucht?" Sannoo war noch nie zurückhaltend mit ihrer Neugierde. Sie ist direkt und verträgt auch die schonungslose Wahrheit.

Edlony kaut auf einem Stück knusprig gebratenem Speck und überlegt. Dann sagt er ziemlich flapsig:

„Ich glaube, dass würdet ihr nicht verstehen" und kaut genüsslich das nächste Stück

133

Speck. Und jetzt denke ich, dass er allmählich auftaut. Das wird sicher lustig.

Wir stellen das Geschirr in die Spüle und gehen gemeinsam zum Stall rüber. Ich habe Sannoo schon gefragt, ob Taruk hier ist und sie nickt. Gut. Dann kann ich ihn wegen Hel fragen.

Im Stall ist es dämmrig, jedoch hell genug, um alles zu sehen. Viele kleine Fenster im oberen Drittel des Stalles bringen genug Sonne hinein. Ich liebe den Geruch von den Tieren und den Heuballen, die stapelweise im Stall gelagert sind. Schon von weitem höre ich das Mammut Wally prusten. Rübezahl, der es aufgezogen hat, steht bei ihm und streichelt über das zottelige Fell. Er winkt mir zu und ich winke zurück.

Edlony sagt nichts. Merkwürdigerweise kann ich seine Gedanken nicht hören. Ich mache das eh nicht oft, denn es verschafft mir unter Umständen einen Vorteil. In der menschlichen Welt, in der ich mich ja meistens bewege, empfände ich das als unfair. Jedoch muss ich gestehen, dass ich natürlich hin und wieder nicht wider stehen kann. Auch das gehört zum Menschsein – seine Vorteile nutzen.

Dann endlich stehen wir vor der Box der Einhörner. Ich strecke meinen Kopf hinüber und blicke direkt in die Augen von Ivory. Er steht beschützend vor Eloise und zwischen dem Heu liegt etwas wohlgeborgen versteckt und eng an Eloise gekuschelt. Ich sehe das kleine Hinterteil von Clif.

„Geh nur hinein", sagt Eligor leise und so öffne ich vorsichtig die Stalltür und knie mich vor Eloise, die auf dem Stroh neben ihrem Sohn liegt. Sie sieht unsagbar glücklich aus und Ivory sagt bereits zum dritten Mal „Wie entzückend doch der Kleine ist, nicht wahr! Ist mir wie aus dem Gesicht geschnitten!" Ich lächle Eloise an und sie lächelt zurück.

Clif hebt seinen Kopf und schaut mich an. Wow – er ist bereits schneeweiß wie seine Eltern und ein kleines Horn ist auf seiner Stirn bereits sichtbar. Er hat dunkle Augen, in der die Magie leuchtet. Clif entfaltet seine langen Beine unter sich und stakst auf mich zu. Er ist neugierig und da seine Eltern ihn nicht zurück halten, stapft er weiter. Sein warmes samtweiches Maul stupst an mein Gesicht und ich strecke eine Hand aus und streiche sanft über sein Fell. Und ich – ich bin verloren, mein Herz hab ich verloren an diesen entzückenden, kleinen Kerl.

Ich sage Eloise und Ivory wie wunderbar ihr Sohn ist und beide nicken. Dann verlasse ich ganz leise wieder die Stallbox.

„Jaja", sagt Sannoo „das hat er auch mit uns gemacht, der süße Clif. Wir haben uns rettungslos in ihn verliebt."

Nun wird es Zeit, dass ich Taruk suchen gehe. Eligor und Sannoo und der Lampenmann gehen wieder ins Haus. Ich höre Sannoo in meinen Gedanken, dass ich beruhigt gehen kann, sie werden sich zwischenzeitlich gut um Edlony kümmern.

Ich ziehe meine Schuhe aus und renne in den Wald, der nicht weit vom Stall entfernt anfängt. In Gedanken rufe ich meinen Freund Taruk und es dauert nicht lang, da kommt er hechelnd auf mich zu und springt mich vor Freude an, so dass ich umfalle und auf dem Boden liege. Ich lache und umschlinge mit meinen Armen den Hals von Taruk.

Wir gehen zum Bächlein, das durch den Wald fließt und setzen uns ans Ufer.

Mit Taruk rede ich immer in meinem Kopf. Ich erkläre ihm ausführlich die Sachlage und verschweige ihm auch nicht, wie kompliziert und auch gefährlich das Unterfangen ist.

Er sagt, er muss das Rudel fragen, das kann er alleine nicht entscheiden.

Ich gehe wieder zurück zum Haus und hoffe, dass Taruk bald zurück ist. Er wollte mich heute nicht mitnehmen, muss das alleine mit den anderen Wölfen besprechen, meint er.

Als ich die Küchentüre auf aufmache, höre ich schon das Gelächter. Edlony hat mit Eligor und Sannoo den allergrößten Spaß.

Leider kommt Taruk mit keinen guten Nachrichten von den Wölfen zurück. Sie haben einstimmig beschlossen, dass Hel dort nicht erwünscht ist. Ich kann es schon verstehen. Das Kollektiv steht bei ihnen an erster Stelle, nicht der Einzelne. Kann es ihnen nicht verdenken. Nur habe ich jetzt immer noch ein Problem.

Das Gelächter verstummt. Und Sannoo meint unverwüstlich, dann braucht es halt jetzt einen anderen Plan. Sie hat es mir wahrscheinlich im Gesicht abgelesen oder sie hat kurz in meinen Kopf geschaut.

Ich nicke müde und sage zu Edlony, dass wir jetzt heimfahren werden. Die Problemlösung muss bis morgen warten.

Edlony sitzt neben mir im Auto und schaut mich von der Seite an. Ich schaue starr auf die Straße vor mir und frage mich, was in seinem Kopf gerade vor sich geht. Leider kann ich seine Gedanken nicht hören.

„Sag mal", ich versuche so das Thema zu wechseln „habe ich jetzt eigentlich drei Wünsche frei?"

Edlony schüttelt energisch seinen Kopf und das schwarze Haar fliegt von einer Seite auf die andere.

„Das steht so auch nur in Märchenbüchern. Was aber wahr ist - ich folge dir und schütze dich, wohin du auch gehst und klar, wenn ich dir Wünsche erfüllen kann, tue ich das."

„Ich brauche einen Platz für Hel und das Baby, bis es groß genug ist. Ach verflixt. Warum habe ich mich nur darauf eingelassen?"

Edlony schaut mich immer noch angestrengt von der Seite an:

„Weil du ein großes Herz hast. Du bist ein halber Engel.

Warum kommt Hel nicht einfach wieder zurück? Luz könnte Wache schieben und wenn das Kind da ist und gewachsen ist, dann kann Luz sie mitnehmen und die beiden lösen ihre Probleme wieder alleine."

Ja. Warum eigentlich nicht? Soll doch Luz selber schauen, dass Loki nicht an sie ran kommt. Natürlich könnten die Fetzen fliegen und das möchte ich im Penthouse nun wirklich nicht haben. Wäre auch schlecht fürs Geschäft.

Nur wohin mit Hel und ihrem dicken Bauch?

Zu Sannoo auf die Farm kommt nicht in Frage. Meine Patentante hat diesbezüglich schon viel zu viel mitgemacht. Und meine Eltern halte ich da auch raus.

Ich habe derzeit keine Lösung. So viel ist klar.

Wir sind zuhause und ich lasse mich geräuschvoll aufs Sofa plumsen. Mein Gott, bin ich fertig.

Da kommt Edlony direkt zu mir aufs Sofa und setzt sich hinter mich. Er reibt seine Hände ein paar Sekunden aneinander und dann fängt er an, meinen Nacken zu massieren, dann die Schläfen, wieder den Nacken und den Rücken rauf und runter. Meine Güte hat der Mann warme Hände, wie eine Wärmflasche. Und ich schnurre nach dem ersten Schreck wie eine frisch geölte Nähmaschine. Die Hände von Edlony sind sanft, doch kraftvoll. Er findet genau die Stellen, die brauchen, was er tut. Ich weiß nicht, wie lange er mir schon die völlige Entspannung beschert, als er plötzlich innehält. Ich öffne die Augen und schaue direkt in seine. Und, ich halte die Luft an.

Sein Daumen streichelt über mein Gesicht und fährt über meinen Mund. Ich atme immer noch nicht. Hypnotisiert warte ich, was als nächstes passiert.

Der Mann aus der Lampe hält inne in seinem Tun und schaut mich lächelnd an. Und ich ertrinke gerade in seinen Augen. Ich werde mutig und meine Hand fährt zaghaft durch sein schwarzes Haar und er lacht laut auf. Es gefällt ihm. Dann streiche ich mit einem Finger über seine Wange, er fühlt sich weich an und dann ziehe ich seine Augenbrauen mit meinen Fingern nach.

Edlony greift mit einer Hand in meinen Nacken und zieht mich mit einem Ruck zu sich heran. Sein Mund nähert sich meinem, ich könnte mich noch weg drehen. Doch wer will das schon? Ich warte begierig darauf, seinen Mund auf meinem zu spüren. Er fühlt es und ich spüre seine Freude darüber.

„Du solltest jetzt wieder atmen", meint er belustigt. Mir fällt auf, dass er recht hat und ich ziehe gierig die Luft in meine Lungen.

Edlony ist nicht nur ein äußerst hübscher Lampenmann, sondern er weiß anscheinend auch gut mit Frauen umzugehen. Sicherlich hatte er in den zig Jahren seiner Existenz als Rauchsäule viel Zeit, um die Vorgehensweise zu erforschen und zu verfeinern. Er hat halt ein wenig mehr Vergangenheit.

Ist mir egal. Bis jetzt hatte ich nicht wirklich Interesse an einem Mann. Mit Edlony hat sich das aber absolut geändert. Ich will ihn und ich mag ihn. Ich möchte wissen, was er denkt, woher er kommt, wohin er möchte und wie man Lampengeist wird.

Er lächelt mich immer noch an und ich schiebe meine Gedanken beiseite, atme und warte.

Dann endlich — nach einer Ewigkeit, er macht es wirklich spannend — legt sich sein Mund ganz sanft auf meinen. Und dann höre ich auf zu denken. All meine Probleme und Sorgen können mir für den Moment gestohlen bleiben. Später — ja später werde ich mich darum kümmern.

Wie geht es weiter?

Der Wecker klingelt energisch. Doch ich möchte nicht aufstehen. Da warten nur Luz und Hel und nicht zu vergessen Loki auf mich.

Mein Lampenmann regt sich neben mir und seine Arme umfassen mich fester. Ich bin glücklich. In diesem Moment bin ich unsagbar glücklich und diesen Augenblick möchte ich nicht durch aufstehen zerstören.

Edlony ist der Hammer! Wirklich. Ich habe nicht viele Vergleichsmöglichkeiten, doch er bringt eine Musik in mir zum Klingen, die ich so noch nie gehört habe. Er ist zärtlich und sanft, liebevoll und doch hat er auch manchmal etwas von einem Neandertaler an sich. Da folgt er seinem Instinkt und seinen Trieben. Wir haben viel gelacht letzte Nacht. Ich mag seinen Humor, der von neckend, über schwarz, bis hin zu albern reicht. Voll mein Ding.

Jetzt, in diesem Augenblick, öffnet er seine Augen und sieht mich verschlafen an. Edlony ist zwar wirklich einzigartig, doch in vielerlei Hinsicht ist er eben einfach auch nur ein Mann.

„Mein Engel", sagt er und ich schmelze dahin „auf dich habe ich seit hunderten von Jahren gewartet." Ehrlich, was will eine Frau mehr hören?

Dieser wunderbare Moment wird zerstört, als Faith auf meinem Handy anruft. Faith ist die zarte Blondine aus meiner Damengarde, die derzeit die Aufgaben von Hel übernommen hat.

Sie sagt mit einem leicht vorwurfsvollen Ton, der ihre Worte begleitet, wie ein Gitarrenspieler:

„Da ist einer, Neria. Einer, der nur von dir bedient werden will, sagt er. Sieht hübsch aus, aber irgendwie auch gefährlich. Ich habe ihm gesagt, dass ich ihm gerne alle Bilder von den Mädels hier zeigen kann. Doch er meinte, dass habe er nicht nötig. Ehrlich Neria – welcher Mann hat uns nicht nötig???"

Jetzt ist Faith einfach nur entrüstet. Sie findet ihren Job überaus nützlich und geht geradezu darin auf.

Ich sage ihr, dass ich gleich rüber komme und sie soll ihm einen Kaffee oder einen Cognac anbieten. Oder beides. Schließlich ist der Tag ja noch jung.

„Schluss mit lustig." Bedauern liegt in der Stimme von Edlony. Aber dann zwinkert er mir verschmitzt zu und säuselt, dass wir später da weiter machen, wo wir jetzt aufgehört haben.

„Ich werde mal in meiner Lampe nach dem Rechten sehen. Außer du brauchst mich mein Engel …?" Sein Blick hält mich fest und ich schüttle den Kopf und marschiere ins Bad. Ich kann mir schon vorstellen, wer da auf mich wartet. Hol ihn doch der Teufel. Ach ja, das geht ja nicht. Da müsste er sich ja selber in die Tasche stopfen.

Da ich im Bad nie lange brauche, bin ich ziemlich schnell im Büro. Und siehe da. Ich habe richtig vermutet.

Faith sieht mich komisch an und meint, dass er schon die halbe Flasche Cognac gezischt hätte. Und das in der kurzen Zeit!

Ich gehe mit Luz in mein Büro und nehme vorsichtshalber die halbe Flasche Cognac noch mit. Notfalls haue ich sie ihm über den Schädel, wenn er übertreibt.

Der Teufel geht wie ein gefangener Löwe im Büro umher. Er macht mich irre. Dann platzt er heraus:

„Und???? Wie ist dein Plan? Estella hat mich aufgesucht und mir gesagt, dass Hel bei ihr ist, aber nicht bleiben kann."

Meine Flügel zerreißen mir meine frisch gebügelte Bluse und das macht mich nur noch wütender:

144

„Ist das etwa mein Problem? Ich habe dir angeboten, dass sie einen Job bei mir bekommt und … dass ich mich des Babys vorübergehend annehmen werde. Aber Loki ist nicht mein Problem. Überspann den Bogen nicht Luz!"

Faith stecke ihren Kopf zur Türe herein. Wahrscheinlich hat sie meine laute Stimme gehört. Als sie meine Flügel sieht, ist sie auch schon wieder draußen. Sie weiß, dass ich zurechtkomme.

Ich bin so richtig in Fahrt und speie die nächsten Worte raus:

„Am besten nehme ich mein Angebot zurück Luz! Das war eh eine ziemlich dämliche Idee von dir und dass ich drauf eingegangen bin, war noch dämlicher!"

Luz sieht aus, als hätte jemand die Luft aus ihm raus gelassen. Sein Gesicht wird fahl und er greift nach der Cognacflasche, die ich noch in der Hand halte. Der Flascheninhalt ist jetzt recht gut durchgeschüttelt.

Er kickt den Korken mit einem Fingerschnipp weg und setzt die Flasche an seinen Mund.

Ich beobachte ihn und schaue in seinen Kopf. Oh weh. Darin sieht es aus, wie auf

einer Müllhalde. Seine Gedanken sind unzusammenhängend und wirr.
Und er flüstert verzweifelt:

„Was soll ich denn nur machen? Ich bin der Teufel und habe keinen Plan."

Seine Augen sind blutunterlaufen und er qualmt traurig vor sich hin.

„Lieber Gott", bete ich, „lass mich jetzt bitte nicht sentimental werden."

Mein Mitgefühl, das versucht sich in mir breit zu machen, wische ich mit einem Handstreich in das hinterste Eck meiner selbst.

„Bitte tu mir das nicht an", fleht der Teufel und setzt noch ein gehauchtes „Bitte!" hinter her.

Luz ist auch ein begnadeter Showman. Das weiß ich nur zu gut. Trotzdem sehe ich natürlich die Tragödie in den Geschehnissen. Von dem mal abgesehen, dass Hel und Luz wirklich selber schuld sind. Doch auch ich weiß, dass sich alles nicht immer genau berechnen lässt, dass der Plan vielleicht einmal anders war und das Schicksal etwas ganz anderes daraus machte.

Gerade denke ich an Edlony und ein Schauer läuft mir über den Rücken. Wer weiß, was daraus wird? Gedanken oder Pläne habe ich mir noch nicht gemacht. Wie könnte ich auch. Dafür ist das alles viel zu kurz. Jedoch, wie gesagt – wer weiß, was bezüglich dieser Thematik noch alles kommen mag?

Ich mag ihn sehr und glaube fast, dass ich mich in ihn verliebt habe. Er ist so besonders wie ich und ich habe ihn gefunden – sozusagen. Das kann kein Zufall sein.

Der Teufel sitzt immer noch wie ein Häufchen Elend auf meinem Sofa. Die Cognacflasche ist leer und sein Kopf sinkt in Zeitlupe auf seine Brust und er fängt leise an zu schnarchen. Na wunderbar! Das auch noch. Ich gebe ihm einen unsanften Schubbs und er fällt um wie ein gefällter Baum. Dann lege ich eine Decke über ihn und verdrehe die Augen gen Himmel. Und ich höre leises Gelächter.

Kurze Zeit später schellt es wieder an der Türe. Als ich öffne, steht Estella vor mir. Das Grinsen hat sie heute offensichtlich vergessen. Sie sieht ernst aus. Ohne etwas zu sagen, greift sie zur Seite und zieht Hel in mein Gesichtsfeld.

Und ehrlich, Hel sieht katastrophal aus. Eine Körperhälfte von ihr ist mit glänzenden grünen Schuppen bedeckt, die andere Hälfte ist so weiß wie Marmor. Und sie hält ihren dicken Bauch mit beiden Händen fest umklammert und stöhnt.

Estella drängt sich mit Hel am Arm hurtig an mir vorbei und steuert auf die Küche zu. Sie wirft einen kurzen Blick auf den schnarchenden Luz in meinem Wohnzimmer und wirft mir einen bedeutsamen Blick zu. Ich hebe nur die Schultern und schüttle energisch den Kopf.

Estella sagt „Halt mal!" und drängt die stöhnende Hel in meine Arme. Dann wischt sie mit einer ausladenden Handbewegung alles von meinem Küchentisch und es scheppert laut. Sie holt ein paar Decken aus dem Schlafzimmer und als sie die auf den leeren Küchentisch gelegt hat, holt sie Hel aus meinen Armen und legt sie darauf. Fürsorglich hat sie auch an ein Kissen gedacht und legt den Kopf von Hel vorsichtig darauf.

Ich ziehe Estella ein wenig beiseite und frage sie mit gedämpfter Stimme:

„Sag mal, wie sieht denn die Geburt einer Göttin aus? Schon mal dabei geholfen?"

Estella hat ihr Grinsen wieder gefunden und schüttelt den Kopf.

„Ich weiß genau so viel, oder wenig, wie du" meint sie lächelnd „Hel wird das schon machen." Sie klopft mir beruhigend auf die Schulter und wendet sich wieder Hel zu.

Und ich hole eine Schüssel mit warmen Wasser und einen Waschlappen und wische damit Hel den Schweiß von der Stirn.

„Hel …" frage ich „Wie lange wird es dauern? Was müssen wir tun?"

Und Hel, die Gute, zischt ärgerlich:

„Ich hab keine Ahnung! Luz, der verdammte Kerl! Was hat er mir da angetan?"

Ich verkneife mir jegliche Diskussion mit Hel. Da hätte ich doch nur die Arschkarte. Doch sicher ist allemal, dass auch in der Götterwelt und natürlich auch in der Welt des Teufels immer zwei für ein solches Ergebnis gebraucht werden. Ich denke jedoch, dass Hel für diese Logik in der momentanen Situation wenig übrig hat.

So vergehen Stunden. Hel stöhnt. Estella redet beruhigend auf sie ein und ich wische ihr über die Stirn.

„Hör mal …", sage ich leise zu Estella „Wenn das so weiter geht, werde ich uns mal eine Pizza bestellen. Und nach Luz sollte ich auch mal sehen." Meine Freundin nickt und ich verschwinde. Es nutzt ja nichts, in so einer Situation das praktische Denken außer Acht zu lassen.

Luz liegt noch genauso da, wie ich ihn zugedeckt habe. Er schnarcht immer noch und als ich ihn an der Schulter rüttle, passiert gar nichts. Also gehe ich weiter und bestelle eine Familienpizza.

Als der Lieferservice an der Türe klingelt und ich öffne, stöhnt und schreit Hel gerade wieder mal ihre Pein hinaus in die Welt. Der Pizzabote weicht entsetzt zurück und ich erkläre ihm gelassen, dass ich mir gerade den „Exorzisten" im Fernsehen ansehe. Das entspannt ihn ein wenig. Das Trinkgeld fällt extrem großzügig aus, was ihn zu einem schiefen Grinsen veranlasst.

Am liebsten möchte ich jetzt zu meinen Eltern fahren oder zu Sannoo. Ein Gespräch mit dem himmlischen Paps wäre auch wunderbar. Doch – was sollten sie mir sagen, was ich nicht schon wüsste? Das, was ich wirklich möchte, ist von nichts mehr hören und wissen. Einfach wieder das Kind sein, das beschützt ist und sich um nichts kümmern muss.

„Du bist doch beschützt." Ich höre eine bekannte Stimme in meinem Kopf. Ja, das ist wahr. Und meine Verantwortung kann mir keiner abnehmen.

Nach dem dritten Stück Pizza hole ich frisches Wasser für die Stirn von Hel. Die Göttin der Unterwelt hatte ein Stück der Familienpizza empört abgelehnt. Man hätte meinen können, ich hätte ihr angeboten, der nächste Gladiator in der Arena zu werden.

Mit einem Mal reißt Hel die Augen auf und stöhnt mehr denn je. Ich glaube, jetzt ist es soweit. Oh mein Gott, Papa, hilf uns!

Wer jetzt aber glaubt, dass dies eine ganz normale Geburt ist – weit gefehlt. Die geplagte Göttin stößt einen schrillen Schrei aus. Just in dem Moment, als Luz seinen Kopf zur offenen Tür herein streckt. Bevor ich ihm entgegen blaffe, dass er gefälligst von hier verschwinden soll, verdreht er die Augen und fällt in Ohnmacht und kracht unsanft auf den Boden. Nun gut, dann muss er halt da jetzt erst mal liegen bleiben. Keine Zeit für die Rettung von Luz.

Der Anblick von Hel ist aber auch echt gruselig. Die Bauchdecke von Hel öffnet sich, wie eine Blume, die ihre Blüte der Sonne entgegenstreckt. Es spritzt ein bisschen Blut und die Geräusche, die das Kleine verursacht, um aus dieser Öffnung zu kriechen, ist wirklich unheimlich.

Ehrlich gesagt, hätte ich Luz schon einen robusteren Magen zugetraut. Als Teufel sieht man ja bestimmt recht häufig teuflische Sachen, die einem das Fürchten lehren.

Aber die schmerzhafte und blutige Geburt des eigenen Sprösslings zu erleben, ist dann wohl doch eine andere Hausnummer.

Aber zurück zum Geschehen. Estella steht mit offenem Mund, ohne Grinsen, da. Sie regt sich überhaupt nicht und ihr Gesicht erscheint mir blasser als sonst. Also bleibt mal wieder alles an mir hängen.

Es ist nicht so, dass mich das kalt lässt. Ich überlege ernsthaft, ob ich mich in die Schüssel mit dem warmen Wasser übergeben soll. Für einen sensiblen Magen ist das hier wirklich ein Desaster. Doch als Einzige, die hier in Aktion ist, bleibt mir die Schüssel verwehrt.

Ich sehe kleine Fingerchen, die sich aus dem Bauch der Mutter graben. Und ich höre ein leises Wimmern. Alles in allem betrachtet, überlege ich mir, ob es nicht einfacher wäre, jetzt in Ohnmacht zu fallen, wie Luz. Auf jeden Fall würde ich gern diesem Ort und diesem Ereignis entfliehen. Und dann denke ich mir „Sei nicht feige Neria!"

Ein paar Handtücher habe ich schon zu recht gelegt und wirklich, mit einer letzten Anstrengung des kleinen Wesens ist es so gut wie geboren. Wenn auch anders, als das üblicherweise der Fall ist.

Ich nehme eines der Handtücher und wickle das kleine Ding darin ein. Es ist über und über mit kleinen grünen Schuppen bedeckt, die ganz weich sind. Es hat schwarze Haare und recht viele davon und dazwischen sehe ich zwei kleine Hörner. Die Augen sind ebenfalls schwarz und sehen mich aufmerksam an. Ich gehe mit dem Kleinen ins Badezimmer. Es ist mit Blut verschmiert und anderen undefinierbaren Substanzen. Als ich das warme Wasser anstelle und es vorsichtig abbrause, gluckst es zufrieden. Danach föhne ich die schwarzen Haare trocken und auch das scheint ihr gut zu gefallen. Ich habe nämlich beim Baden gesehen, dass es sich um ein Mädchen handelt. Luz und Hel sind Eltern einer wirklich einzigartigen und etwas anderen Tochter, doch auch sehr hübschen Tochter. Ich stelle fest, dass sich die Kleine schnell an ihre Umgebung anpassen kann. Sie macht auch nicht den Eindruck, als wäre sie erst ein paar Minuten alt. Sie lächelt mich an und brabbelt unverständliches Zeugs.

Gut eingewickelt gehe ich mit ihr zurück in die Küche. Estella ist aus ihrer Starre erwacht und hat schon ein wenig die Küche aufgeräumt, Luz liegt immer noch am Boden und Hel sitzt bereits auf einem Stuhl und sieht mich an. Ich sehe ihren nackten Bauch, den Estella gerade sauber wischt. Da ist nichts mehr zu sehen. Keine klaffende Wunde, aus der die Kleine gekrochen ist. Kein Schwabbelbauch von der Schwangerschaft. Eben absolut nichts. Die grüne Hälfte von ihr ist auch nicht mehr grün.

153

„Was ist es?" Die Frage von Hel klingt sehr nüchtern und holt mich aus meiner intensiven Betrachtung des bereinigten Schlachtfeldes.

„Du hast eine wunderschöne Tochter", sage ich und „Wie soll sie heißen?"

Hel streckt ihre Arme nach ihr aus und ich lege sie ihr hinein. Sie sieht ihre Tochter an und ich höre, wie sie „Lilith" sagt. Das ist ihr Name sagt sie dann laut. Und dann sagt sie etwas zu mir, dass mich um Fassung ringen lässt:

„Du kannst sie wieder nehmen. Sie gehört jetzt dir. Das war doch der Deal."

Sie steht auf, drückt mir ihre Tochter in die Arme und zieht sich achtlos ihre Bluse an, die über der Stuhllehne hängt. Dann geht sie vor dem ohnmächtigen Luz in die Knie und rüttelt ihn unsanft. Nach ein paar Augenblicken schlägt er die Augen auf und ist mit Überschallgeschwindigkeit im Hier und Jetzt.

„Gratuliere." sagt Hel zu ihm „Du hast eine Tochter. Lilith, wie du gewünscht hast. Wir können jetzt gehen. Neria wird sich um die Kleine kümmern."

Der Höllenbetreiber steht schon auf den Beinen und sagt bestimmt, jedoch mit wackliger Stimme:

„Ich will sie sehen. Meine Tochter."

Ich drehe mich um und mein Gesicht ist starr von der Eiseskälte, die Hel verströmt. Er sieht Lilith in meinen Armen. Langsam kommt er mir entgegen und sein Gesicht habe ich so noch nie gesehen. Es ist weich und sanft und in seinen Augen ist ein liebevoller Schimmer. Wenigsten einer, der Lilith anscheinend liebt.

Luz nimmt seine Tochter auf den Arm und drückt sie an sich. Und Lilith patscht ihm mit ihren kleinen Händen ins Gesicht und lächelt ihren Vater an. Sie ist nicht erst vor einer Stunde geboren worden. Man könnte meinen, sie ist bereits so acht oder neun Monate alt. Wahnsinn.

„Ich liebe dich!" sagt Luz zu Lilith. Die schaut ihren Vater an, als verstünde sie jedes Wort, das er sagt. „Ich komme wieder.", verspricht er ihr.

Dann reicht er mir das Kind und seine Stimme klingt traurig:

„Pass gut auf sie auf Neria. Beschütze sie. Ich komme wieder, um sie zu holen."

Und ich hab vergessen, dass ich den Deal rückgängig machen wollte. Hab vergessen, wie sauer ich auf Luz war. Hab vergessen, dass ich keine neuen Probleme mehr wollte.

Ich nicke und Luz dreht sich um, nimmt Hel bei der Hand und die beiden sind verschwunden.

Es regt sich ein tiefer Unmut in mir. Wie kann Hel nur so herzlos sein?

Ich seufze tief, drücke die kleine Lilith an mein Herz und sage:

„Wir werden schon zurechtkommen, wir beide, nicht wahr? Und da ist ja auch noch Tante Estella …"

Doch die winkt energisch ab.

„Wo ist eigentlich dieser überaus adrette Mann aus der Lampe?

An ihn hatte ich die letzten Stunden wahrlich nicht mehr gedacht. Da ich Estella nicht antworte, macht sie eine ganze Umdrehung auf ihrem Absatz und verschwindet.

Turbulente Zeiten

Am nächsten Morgen stehe ich zeitig auf. Lilith liegt neben mir im Bett und schaut mich schon neugierig an.

Ich stehe auf und nehme sie hoch. Sie scheint mir schon wieder gewachsen zu sein, sie fühlt sich schwerer an, wie gestern. Mit ihr auf dem Arm gehe ich ins Wohnzimmer und rufe nach Edlony.

In einer geraden Rauchsäule erscheint er auf der Bildfläche. Und er sieht zum Anbeißen aus. Seine Haare sind noch feucht – es sieht aus, als habe er gerade geduscht. Sein Oberkörper ist nackt und der Rest steckt in einer ausgewaschenen Jeans.

„Oh – wer ist denn das?" Neugierig kommt er uns entgegen, drückt mir einen Kuss auf den Mund und nimmt mir Lilith aus dem Armen. Und Lilith ist begeistert. Sie gurrt und giggert und Edlony schäkert mit ihr herum. Ich bin sprachlos.

Wir frühstücken zusammen und der kleine, grüne Neuankömmling verdrückt ein Spiegelei und ein Marmeladenbrot.

Ich unterhalte mich mit Edlony und erzähle ihm von den letzten paar Stunden und den geballten Ereignissen.

„Wie willst du das machen, mit dem Baby? Und wie geht es weiter? Und was ist, wenn Großvater Loki auftaucht?"

Und ich ziehe die Schultern hoch und antworte ihm, dass ich keine Ahnung habe. Der Begleitservice braucht mich nicht unbedingt. Faith kommt gut zurecht und die Damen sind eh ein eingespieltes Team.

Ich werde bald mit den beiden zu Sannoo auf die Farm fahren. Es ist immer gut, mit Sannoo zu sprechen. Danach sieht man seine Probleme klarer, oder bestenfalls haben sie sich sogar in Luft aufgelöst.

So vergehen die Tage. Lilith ist mir schon richtig ans Herz gewachsen. In ihr vereint spiegeln sich die Gemüter ihrer Eltern. Sie hat manchmal etwas sehr dunkles und erschreckendes an sich. Dann wiederum scheint die Sonne aus jeder Pore ihres Körpers. Apropos – die grünen Schuppen scheinen zu verschwinden. Sie werden kleiner und die Farbe verblasst. Die beiden Hörnchen, die auf ihrem Kopf sichtbar sind, werden mittlerweilen verdeckt von einem üppigen schwarzen Haarschopf. Sie ist jetzt schon hübsch, die Kleine und ich denke mal, wenn sie erwachsen ist, wird sie eine klassische Schönheit sein.

Eines Morgens wache ich auf. Ich habe geträumt und der Traum fühlte sich real an. So, als hätte ich ihn gerade bewusst und tatsächlich erlebt. Ich schließe meine Augen und erlebe ihn noch einmal:

Ich träumte, dass ich an einem wunderschönen Strand spazieren ging - kilometerlanger, weißer, feiner Sand, noch warm von der Sonne. Ich hatte keine Schuhe an und genoss einfach nur die Wärme und wie der Sand zwischen meinen Zehen durchrieselte. Das kitzelte manchmal so sehr, dass ich einen Fuß hob und ihn schüttelte, so als ob ein Dutzend kleiner Käfer an mir hochkrabbeln würden. Mein Mund verzog sich zu einem Grinsen. Wie schön es doch war, hier sein zu können ... in einem Traum, wo alles möglich oder auch unmöglich ist ...

Ab und zu standen auf meinem Weg ein paar Palmen verstreut im Strand, die sich sachte in der Abendbrise wiegten. Ein paar Krabben eilten geschäftig über den Sand in Richtung Wasser, als wenn sie eine wichtige Verabredung nicht verpassen dürften. Große und glatte Steine lagen umher. Wäre bestimmt schön, darauf zu sitzen, um das Meer zu beobachten, die Wellen, wie sie in völliger Harmonie und ihrer eigenen Melodie folgend, an den Strand patschten.

Die Sonne ging am Horizont gerade unter. Glutrot und orange war sie und ich erwartete jeden Moment ein Zischen, als sie augenscheinlich die Meeresoberfläche berührte. Der Himmel wurde dunkel, ein paar Wolkenfetzen trieben ohne Eile am Himmel. Die Welt sah aus, als ob sie sich schlafen legte, ganz ruhig, ohne Hast versank die Gegenwart in einer Zukunft, die erst noch geschrieben wurde.

Tief in Gedanken versunken schaute ich auf den feinen Sand zu meinen Füßen, wie er sich durch meine Zehen zwängte, als ich Schritt für Schritt einem mir noch unbekannten Weg folgte.

Ich dachte gerade so über mein Leben nach - nichts Bestimmtes – als sich vor mir im Sand etwas bewegte. Eigentlich wähnte ich mich mutterseelenallein hier und war umso erstaunter, dass da vor mir irgendetwas war.

Ich hatte keine Angst und so schritt ich einfach weiter auf das „was-auch-immer" zu. Auf was ich da dann traf, das hätte ich nicht im Traum erwartet. Cooler Wortwitz.

Es war ungefähr so groß wie ein Schäferhund, ziemlich rund … und total glibberig und schillerte in allen Regenbogenfarben. Huch – dachte ich, was für ein Glück, dass ich da nicht rein getreten bin. Der Sand und der Glibber kombiniert – eine Masse, mit der man sicherlich Zement in den Schatten stellen könnte! Also blieb ich mal lieber hurtig stehen, neigte den Kopf etwas zur Seite und wartete …

„So!" sagte da der Glibber ziemlich nörgelig zu mir „Bist du nun auch endlich mal da, warte schon eine Ewigkeit auf dich!!"

Ha, dachte ich mir, bin ich froh, dass ich träume, sonst könnte ich glatt annehmen, dass meine geistige Beschaffenheit so glibbrig ist, wie das Ding da vor mir.

Naja und da ich von Haus aus ein sehr höflicher Mensch bin und das ja (hoffentlich!) wirklich nur ein Traum war, antwortete ich dann auch — wenngleich ich mir schon ein paar Sekunden Bedenkzeit, verbunden mit einem tiefen Seufzer, einräumte!

„Ähhhh „ sagte ich vorsichtig „… ist ja schön, dass du auf mich gewartet hast. Doch hilf mir mal bitte — wer oder was zur Hölle bist du ….?!"

„Du bist gut, war ja klar, dass du wieder mal keine Ahnung hast!!" sagte da das Ding recht hochnäsig zu mir „Ich gehörte zu dir, bin ein Teil von dir! Ich bin deine Angst, deine Unsicherheit, deine Verzweiflung, das Dunkle in dir! Und bisher hatte ich jede Menge Spaß mit dir und ständig genügend Nachschub, um weiter zu existieren. "

„Und …" sagte der Glibber weiter - und wenn ich es nicht besser wüsste, würde ich glatt sagen, jetzt fängt er gleich lauthals zu plärren an - „ … und jetzt bin ich am

Verhungern, am Sterben. Du bist dem Himmel so nah – ein wirklich schreckliches Problem für mich. Und seit dem du diesen Kerl da hast, ist es noch viel schlimmer. Ständig die Liebe in deinem Herzen und wie er dich immer ansieht! Das hält ja kein Ding aus!"

Und mir verschlug es nun wirklich die Sprache. Ich schaute den Glibber an und dachte über das nach, was er mir eben gesagt hatte. Es stimmte schon. In der Vergangenheit hatte ich viele Ängste und diese Gefühle, die das Ding anscheinend am Leben erhielten. Und ich weiß auch noch, wie schlecht und dunkel sich das alles für mich anfühlte. Und nachdem es – wie fürchterlich! – ein Teil von mir war, hatte ich meine Energie und Kraft in die falsche Schublade gepackt!

Doch das weiß ich erst, nachdem ich die Schatten und dunklen Ecken in meinem Innern mit Licht gefüllt habe. Und ich wäre nicht auch ein Mensch, wenn ich nicht immer wieder mal diese verflixte Schublade öffnen würde ... leider.

Und als ob das Ding meine Gedanken lesen könnte, sagte es zu mir und feixte dabei:

„Ja, ja – du müssest mal ordentlich streiten mit diesem Kerl da. Das wär toll, nach meinem Geschmack. Da würde ich mich lebendig fühlen und mir ging`s richtig gut

dabei. Aber ihr solltet ja nicht alles ausgiebig besprechen, Verständnis füreinander haben, euch vertrauen und auch noch Unklarheiten beiseite räumen. Was für ein Schwachsinn! Ich finde es amüsant und sehr nahrhaft, wenn ihr böse aufeinander seid. Wenn eure Liebe durchscheinend wird, wenn Unverständnis und Unklarheit in euren Herzen ist. Wenn ihr euch nichts mehr zu sagen hättet, wenn schlechte und trostlose Gedanken in euren Köpfen vorherrschen! Hach – das wär der Himmel auf Erden!!"

Wobei mal – ganz im Vertrauen gesagt – das Ding keine, aber auch schon so was von keine Ahnung vom Himmel auf Erden hat! Und ich muss das schließlich ja wissen!

Und wenn dieses Ding Hände gehabt hätte, dann bin ich mir sicher, hätte es jetzt, in diesem Moment vor Freude in die Hände geklatscht und wäre auf und ab gehüpft, wie das Rumpelstilzchen.

Und als ob das alles nicht schon schlimm genug wäre – der Gedanke, dass es schließlich und endlich ein Teil von mir ist, der ließ mich erneut erschaudern.

Mir wurde bewusst, dass jeder Mensch so einen Glibber, so ein Ding in sich trug. Nur, dass es die meisten Menschen als normal, als ein vorgegebenes Schicksal betrachten. Sich nicht dagegen wehren, sich nicht bewusst machen, welch großen Einfluss, welch eine große Macht sie da zulassen.

Und welcher Fülle sie sich selbst berauben, was alles sein könnte, wenn man Angst und Dunkelheit umwandelt. Und das es wichtig ist, das zu erkennen. Sein Leben zu hinterfragen, sich den Schatten zu stellen, um das Ding so klein wie möglich zu halten.

Und als ich da so stand, öffnete sich der dunkle Himmel und ein Lichtstrahl, so hell und warm, so wunderschön, kam herunter zu mir und traf genau auf den Glibber neben mir, der aufjaulte und heulte, wie zwei Dutzend Wölfe, die den Mondhimmel anheulen.

Und eine Stimme, die direkt in mein Herz strömte und die ich sehr gut kannte, sagte zu mir:

„Das größte Geschenk, das ich euch gegeben habe, ist die Liebe und vielleicht auch euren Verstand, wobei ich mir da nicht immer so sicher bin."

Und dabei hörte ich ein Schmunzeln in dieser wunderschönen Stimme. Und es war schön zu wissen, dass man trotz seiner Fehler und Schwächen geliebt wird.

„Doch", fuhr die Stimme fort, „wenn ihr die Liebe lebt, so wie ich sie euch gelehrt habe, dann wird Licht und Erfüllung und Glück

euer Leben sein. Ich habe euch nie einen Weg vorgeschrieben. Und jeder Weg wird der richtige sein, solange er mit Liebe, Verständnis und gegenseitigem Annehmen ausgebettet ist. Ich werde bei euch sein alle Tage und euch lieben, das ist mein Versprechen."

Der Lichtstrahl verschwand wieder, ganz leise und sanft glitt er in den dunklen Nachthimmel zurück und hinterließ in meinem Herzen einen tiefen Frieden.

Wo der Glibber abgeblieben war – ehrlich gesagt, keine Ahnung. Das war mir auch ziemlich egal, denn dicke Freunde waren wir mit Sicherheit nicht!

Und ich setzte meinen Weg fort. Nachdenklich war ich. Froh über die Begegnungen, die ich in dieser Nacht, in diesem Traum hatte.

Es fällt mir nicht immer leicht, die Menschen zu lieben. Manchmal sind sie mir einfach zu bösartig, zu oberflächlich, zu egoistisch.

Doch wenn ich es tue, wenn ich es schaffe, dann merke ich buchstäblich, wie die Schatten sich in Licht verwandeln. Wenn ich meine Ängste abgebe in Hände, die mich tragen, dann wandelt sich auch der Klumpen, der mein Sein, meine klare Sicht verklebt.

Und „den Kerl" zu lieben, wie ihn der Glibber respektlos genannt hat, das ist mein Glück. Denn das Ding hat aus seiner düsteren, traurigen Beschaffenheit sogleich erkannt, wie die Welt sich für mich verändert hat, seit es ihn gibt.

Und ich weiß, dass der „Wackelpudding" nur darauf wartet, Unruhe zu stiften. Und manchmal wird es ihm auch gelingen, doch ich werde auf der Hut sein! Das ist mein Versprechen …

Und mal ehrlich gesagt, was soll`s, wenn ich mein halbes Menschsein, meine Unvollkommenheit auch lebe, leben muss. Sonst wäre ich ja Mutter Teresa und die hatte bestimmt auch ihre dunklen Momente! Man kann nicht nach Vollkommenheit streben, ohne unvollkommen zu sein. Geht nicht!!

Ja, und so lief ich noch eine Weile diesen wunderschönen Sandstrand entlang und obwohl es mittlerweile stockfinster war, fand ich meinen Weg problemlos. Er war quasi wie hell erleuchtet für mich …

Was für ein schöner Traum. Und ich kuschle mich eng an Edlony, der friedlich neben mir schläft.

Geheimnisse

Unser Leben plätschert so dahin. Wenn ich ins Büro rüber gehe, passt Edlony auf Lilith auf. Die Kleine fängt schon an zu sprechen. Als ich mittags zu beiden rüber gehe, um eine Kleinigkeit zu essen, finde ich die Wohnung leer vor. Verflixt, wo sind denn die beiden? Edlony weiß, dass ich zur Mittagszeit oft rüber komme.

Ich gehe in die Küche, um im Kühlschrank nach einem Snack zu suchen. Da plötzlich stehen beide im Türrahmen. Sie sehen erhitzt und sehr glücklich aus.

„Hey – da seid ihr ja!" Edlony nimmt Lilith auf den Arm und kommt zu mir. Und der kleine Unterweltspross sagt ständig mit leuchtenden Augen „ampe…ampe…ampe".

Kauend frage ich Edlony, was sie damit meinen könnte und er erwidert sehr gelassen, zu gelassen:

„Ach, wir waren in der Lampe unterwegs."

In der Lampe unterwegs??? Wie jetzt? Ich schaue Edlony fragend an.

„Naja", sagt er darauf hin schon nicht mehr so gelassen „ich habe sie mit in die Lampe genommen und wir hatten unseren Spaß."

Und Lilith klatscht bei seinen Worten in die Hände.

Meine Augen schmelzen zu kleinen, schmalen Schlitzen zusammen.

„Ich glaube, wir sollten uns mal unterhalten. Lilith kann jetzt ihren Mittagsschlaf halten." Ich schnappe mir die Kleine, werfe dem Lampenmann einen schrägen Blick zu und verschwinde im Schlafzimmer.

Ich bin wütend, als ich zurück komme.

„Wann hattest du denn vor, mir zu sagen, dass dies möglich ist? Was hast du noch für Geheimnisse? Um Himmels Willen – was oder wer bist du und was hat es mit der Lampe auf sich?"

Meine Flügel wollen hinaus, doch ich lasse sie nicht. Meine Hände habe ich zu Fäusten geballt. Ich vertraute Edlony. Absolut.

„Du kannst mir auch weiter vertrauen" sagt er da nur.

Und plötzlich fällt mir wieder der Traum ein. Der Glibber. Und meine Wut löst sich auf wie Zucker im heißen Tee.

Edlony sagt mit ruhiger Stimme:

„Du wolltest nie mehr von mir wissen Herrin."

Ja. Das stimmt. Doch jetzt bin ich erschrocken. Auch wegen Lilith. Ich bin für sie verantwortlich. Außerdem finde ich es albern und unpassend, wenn er mich „Herrin" nennt - seit dem wir uns so nah gekommen sind.

Also sage ich, dass er mir bitte erzählen soll, was es mit der Lampe auf sich hat.

„Nun. Die Lampe ist mein Zuhause. Aber sie hat keine Beschränkungen für mich. Ich kann überall hin, wohin ich möchte. Und ich kann mitnehmen, wen ich möchte. Es ist alles ein wenig anders, wie in deiner Welt."

Das ist die Untertreibung des Jahres, wobei ich als halber Engel schon einiges an Besonderheiten erlebt habe. Aber die Lampe ist das absolute Highlight.

„Kannst du mich einmal mitnehmen? Bitte."

Und Edlony nickt begeistert und ich bin jetzt schon ganz aufgeregt. Am liebsten würde ich ja gleich mit ihm auf Lampenabenteuertour gehen. Aber Lilith wird bald aufwachen von ihrem Mittagsschlaf.

„Heute Abend!" Verschwörerisch sieht mich Edlony an und ich nicke begeistert. Ich werde Estella fragen, ob sie heute Abend bei Lilith bleibt.

Dieser Tag mag überhaupt nicht zu Ende gehen. Ich bin so aufgeregt, als würde ich heute heiraten. Dann endlich kommt Estella zur Tür herein. Sie grinst und sieht sich um.

„Edy kommt gleich.", sage ich und sie „Oh ho…Edy also…da brauch ich mich dann nicht mehr ins Zeug legen …" sie zwinkert mir zu und in ihren Gedanken höre ich „das freut mich für dich."

Laut sagt sie:

„Und – was habt ihr heute Abend so besonderes vor, dass ihr ein Kindermädchen braucht?"

Und ich erwidere ganz lässig:

„Wir sind in der Lampe unterwegs …"

Der einzige Kommentar, den Estella raus lässt ist „ahaaaa". Wir beide leben in einer magischen Welt, da hat man dann schon mal abgefahrene Ausflugsziele.

„Lilith hat schon gegessen. Du kannst noch eine Weile mit ihr spielen, bevor sie ins Bett muss. Keine Ahnung, wann wir zurück sind."

Meine spitzohrige Freundin nickt und da kommt auch schon Edlony. Er nickt ihr zu und greift nach meiner Hand.

„Tut es weh?" frage ich ihn.

„Aber nein. Es passiert einfach. Du musst dir keine Sorgen machen. Die Lampe sollte nur niemals in falsche Hände kommen … du weißt, was ich meine!"

Ja. Die Lampe in den falschen Händen wäre fatal. Ich weiß, dass sie beschützt werden muss. Komme was wolle. Der Herr oder die Herrin der Lampe und somit auch von Edlony darf niemals jemand sein, der sie missbrauchen oder vernichten würde.

Ich bin für einen Moment nachdenklich und voller Sorge. Dann schüttle ich mich wie ein Bär, der den Bienenstock überfallen hat. Jetzt ist die Zeit für etwas anderes.

Estella bemerkt spitzbübisch, dass sie praktisch nicht nur das Kindermädchen für Lilith ist, sondern auch noch für die Lampe. Dann lacht sie laut über ihren kleinen Witz. Mir bleibt ehrlich gesagt das Lachen im Halse stecken. Sie weiß gar nicht, wie recht sie mit ihrem Gedankengang hat.

Edlony und ich stehen vor der Lampe und er hält meine Hand ganz fest. Dann spüre ich eine riesengroße Leichtigkeit, die Konturen meiner Umwelt verschwinden vor meinen Augen. Es ist ein bisschen so, als wenn man träumt. Als mein Blick wieder klar und deutlich ist, stehen wir auf der Veranda eines großen Baumhauses.

Das Baumhaus ist in die Krone eines riesigen Baumes gebaut. Ich schaue hinunter und frage Edy, wie man hinunter kommt. Gibt es eine Treppe?

Er nimmt mich bei der Hand und zieht mich ins Innere des Baumhauses. Alles ist aus Holz gemacht. Der Tisch, die Stühle, ein Spiegel, Geschirr und Gläser. Ich sehe durch die offene Türe in einem Raum ein großes Bett stehen. Natürlich auch aus Holz. Es wirkt alles ungemein ansprechend auf mich. Die Atmosphäre ist warm und es riecht unheimlich gut.

Ich mache eine ausladende Handbewegung und frage:

„Wie kann das alles sein? Wie kommst du hierher und wie lange bist du schon hier?"

Viel habe ich in meinem Leben als halber Engel schon gesehen, was mich ehrfürchtig werden ließ. Manchmal lehrte es mich auch das Fürchten. Doch diese Welt hier ist doch etwas ganz anderes. Ich spüre es, dieses anders sein.

Mein Lampenfreund zieht mich aufs Bett und seine Stimme ist sanft und freundlich, als er mir antwortet:

„Ich kann dir viele deiner Fragen leider nicht beantworten, weil ich die Antworten nicht kenne. Seit ich denken kann, bin ich in dieser Welt hier. Ich weiß nicht, woher ich komme. Meine Heimat ist hier und überall. Warum das so ist? Keine Ahnung. Warum lebe ich das Leben, das ich hier habe? Es steht mit Sicherheit ein Sinn dahinter und vielleicht gelingt es mir mit dir, ihn zu entschlüsseln."

Viele Fragen, wenig Antworten.

Wir schmiegen uns aneinander und Edlony beginnt mich zu küssen. Zuerst ganz sanft und liebevoll, dann heftig und fordernd. Die kleine Flamme, die in mir brennt, entfacht er zu einem lodernden Feuer.

Langsam zieht er mich aus und meint dann, ich soll meine Flügel zeigen. Er sagt, er findet sie so wunderschön, wie mich. Und ich bitte ihn, er soll in Flammen stehen für mich. Es ist ungeheuerlich, wenn ich ihn so sehe. Er verströmt Macht und Reinheit. Eine Kombination, die das lodernde Feuer in mir noch wachsen lässt. Meine Flügel schlagen sachte und lassen die Flammen, die ihn umgeben aussehen wie die lebendige, feurige Hülle seiner ganz eigenen Magie.

Lilith

Die Kleine sitzt auf meinem Schoss und isst Vanillepudding. Ihr Leibgericht. Die grünen Schuppen sind völlig verschwunden. Sie spricht und läuft und würde ich sie so sehen, ohne dass ich wüsste, wie alt sie wirklich ist, würde ich sie auf etwa sieben oder acht Jahre schätzen.

Lilith ist ein schönes Kind. Die rabenschwarzen Locken auf ihrem Kopf verdecken die kleinen Hörnchen, die sie von ihrem Vater geerbt hat. Oftmals ist es nicht leicht mit ihr. Sie hat das Temperament ihres Vaters und die Düsternis ihrer Mutter geerbt. Und doch ist sie auch sanft und liebevoll. Edlony meint, das kommt durch den Umgang mit mir.

Heute fahren wir auf die Farm. Ich freue mich riesig, meine Eltern und Sannoo zu sehen. Eligor ist mal wieder unterwegs, hat mir meine Patentante seufzend erzählt.

Auch die Kleine freut sich riesig auf den Ausflug. Wir waren noch nie auf der Farm mit ihr. Eigentlich ist es ja noch nicht lange her, seit sie geboren wurde.

Als wir auf der Farm ankommen, steht Rübezahl mit Wally, dem Mammut im Hof. Von meinen Eltern und Sannoo ist nichts zu sehen, so dass ich vermute, sie sind im Haus.

Lilith springt sofort aus dem Auto und geht auf Wally zu. Bevor ich mich abgeschnallt habe und los eilen kann, sehe ich voller Entsetzen, wie das Mammut laut prustend im Galopp auf Lilith zuhält. Wally kennt das Mädchen noch nicht und Wally ist bei Unbekannten etwas eigen und ablehnend.

Mir gefriert das Blut in den Adern, doch Edlony legt mir beruhigend eine Hand auf den Arm und meint gelassen:

„Lass nur. Sie schafft das schon."

Na – da habe ich so meine Zweifel. Doch bevor Wally Schaden anrichten kann, hebt die kleine Unterweltlady beide Arme empor und hält die Handflächen vor sich. Ich sehe, wie die Luft flirrt. So ähnlich, wie bei einer Fata morgana.

Und im nächsten Moment kracht das Mammut mit voller Wucht gegen …? Nun keine Ahnung. Es sieht aus, als wäre es gegen eine Glasmauer gelaufen. Der Rüssel sieht aus wie eine Ziehharmonika. Wirklich interessant. Durch den Aufprall sitzt Wally nun auf seinem breiten Hosenboden, sichtlich irritiert und Rübezahl ruft begeistert von Weitem:

„Tolle Nummer, Kleine!"

Und Edlony murmelt „Sag ich doch!"

Ich habe mich schon lange gefragt, was Lilith wohl für Gaben hat. Nun haben wir eine davon live erlebt. Das Mammut schüttelt seinen riesigen Kopf und Lilith steht ganz nah bei ihm und streichelt über seinen haarigen Rüssel. So schnell kann man Freundschaft schließen.

Sannoo kommt aus der hinteren Küchentür, die direkt auf den Hof führt und im Schlepptau hat sie Mum und Dad dabei. Der Krach hier draußen blieb ihnen nicht verborgen.

Lilith schaut die drei interessiert an. Ich stelle sie vor und sie reicht meiner Mutter und auch Sannoo die Hand. Nur bei meinem Vater zögert sie. Und sie sagt nachdenklich:

„Du bist wie Neria. Zeig sie mir. Du bist so hell, viel heller als Neria und es tut ein wenig weh in meinen Augen."

Mein Vater nickt und zieht sein Hemd aus und dann breitet er seine Flügel aus, die wesentlich größer sind als meine. Für`s Fliegen ist die Größe aber unerheblich.

Lilith steht staunend da. Und sie lächelt. Sie geht auf meinen Vater zu und er beugt einen Flügel zu ihr hinunter und streichelt zart über ihr Gesicht. Dann legt sie eine Hand an seine Wange und meint ziemlich erwachsen:

„Tut jetzt nicht mehr weh in den Augen. Du hast mir von deinem Licht gegeben. Danke."

Dann dreht sie sich zu Sannoo um und die öffnet ihre Arme und Lilith fliegt hinein.

„Du bist wirklich das Kind deiner Eltern!" sagt sie und dann ergänzt sie grüblerisch „Und auch wieder nicht!" Sannoo und die Kleine strahlen sich an und ich weiß, wann Herzen im Einklang schlagen. Und hier tun sie das. Lilith hat ihre kleinen Arme um den Hals von Sannoo geschlungen. Sie klebt an ihr und saugt sie förmlich ein.

Dann öffnet Sannoo vorsichtig ihre Arme und stellt sie auf den Boden.

„Da möchte dich noch jemand kennen lernen", sagt sie und zeigt auf meine Mutter.

Lilith trippelt zu ihr und sieht sie staunend an.

„Du bist wunderschön, so wunderschön und du bist keine magische Mum." Fertig – das war`s. Und meine Mutter lacht und nickt dabei und streicht Lilith über den Kopf und entdeckt die Hörnchen dabei.

Mit einem Mal wird es dunkel um das kleine Höllenkind. Ihre Augen werden schmal, sind auf meine Mutter gerichtet und sie presst den Mund zusammen und ihre Worte klingen giftig „Weg da!"

Meine Mutter fängt an zu stöhnen und krümmt sich und ich greife nach Lilith und schüttle sie ein wenig und sage laut:

„Hör sofort auf damit! Sofort!!"

Erschreckt durch ihr Tun schlägt sie sich eine Hand vor den Mund und flüchtet in meine Arme.

Edlony, der bisher stumm wie ein Fisch im Wasserglas war, bemerkt begeistert:

„Das habe ich fast vermutet. Oh meine Güte! Was für ein Potential in ihr steckt. Der Wahnsinn!"

Und ich scheppere ihn an mit meinen Worten:

„Wann hattest du vor, mit mir darüber zu sprechen Edy? Wieso hast du das vermutet?"

Und mein hübscher Lampengeist schwenkt seinen Kopf hin und her:

„Wenn wir in der Lampe unterwegs waren, da kam mir schon manchmal der Verdacht, dass die Gene ihrer Eltern an Energie gewinnen mit der Zeit. Sie hat da so manchmal …" Dann verstummt er verlegen.

Mein Vater, der zwischenzeitlich sein Hemd wieder angezogen hat, nimmt Lilith an der Hand und sagt:

„Komm, wir gehen den Einhörnern guten Tag sagen und du kannst vielleicht mit Clif, ihrem Baby spielen." Lilith ist sofort begeistert. Ob das eine so gute Idee ist, weiß ich nicht. Einhörner sind die Reinheit in Perfektion und Liebe pur. Ob das mit dem Höllenkind harmonieren kann?

Meine Mutter, Sannoo, Edlony und ich gehen in die Küche. Es duftet herrlich nach Zimtschnecken und frischem Kaffee.

Ich starre in meine Kaffeetasse und flüstere:

„Sie muss zu ihren Eltern. Ich bin ein halber Engel – ich kann ihr das nicht geben, was sie braucht. Verflixt! Wo sind eigentlich Hel und Luz?"

Meine Mutter und Sannoo sehen sich bedeutsam an.

Und Sannoo ergreift das Wort:

„Ich habe nachgeforscht. Hel und Luz sind von der Bildfläche verschwunden und niemand weiß, wo sie sich aufhalten. Das ist das eine Problem."

Dann macht sie eine Pause und fährt fort:

„Und Loki ist auf dem Vormarsch. Odin, mein Freund und seine Frau Frigg haben mir eine Nachricht diesbezüglich übermittelt. Keiner weiß, was er vorhat. Er ist gefährlich, überaus gefährlich. Mit Sicherheit ist er an Lilith interessiert und wer weiß, was er noch zu tun vor hat, um sein angekratztes Ego zufrieden zu stellen. Das ist das zweite Problem. Und ich sage es nur ungern, aber Luz und Hel sind auf meiner Sympathieskala sehr am Absinken. Verdammt! Was denken sich die beiden nur. Dich mit dem Kind zu belasten und uns alle in Gefahr zu bringen!"

Meine Patentante ist mächtig in Fahrt. Sie ist wütend und ich auch. Doch es nützt ja nichts. Ich nehme mir vor, mein Helfersyndrom in Zukunft einzusperren.

Wir hören von draußen lautes Stimmengewirr und einen infernalischen Lärm. Oh oh! Kein gutes Zeichen. Gemeinsam hetzen wir vom Küchentisch nach draußen und bleiben verblüfft stehen.

Das Mammut dreht sich im Kreis und fegt mit seinem Rüssel alles in den Himmel, was sich ihm dort in den Weg stellt. Es trompetet wie ein Wilder dabei. Auf seinem Rücken sitzt Lilith und feuert ihn an und Clif, das kleine Einhorn, rennt begeistert durch die rotierenden Beine von Wally.

Rübezahl und mein Vater stehen in sicherer Entfernung, die Arme über der Brust gekreuzt und auf der Schulter von Dad sitzt Birdy, das Wichtelmännchen.

Die Einhörner stubsen uns von hinten an und Eloise meint entschuldigend:

„Wir konnten sie nicht aufhalten. Die Kleine Lilith ist sehr zielstrebig bei ihren Vorhaben und setzt dabei ihre Magie ein."

Das kann ich mir vorstellen.

„Wir gehen nach Hause.", stelle ich resigniert fest und ich sage laut in den Tumult hinein: „Wir reden noch … wir brauchen eine Lösung!"

Todesmutig stoppe ich das Mammut und es taumelt und sein Trompeten hört sich wackelig an. Lilith widerspricht mit keinem Wort und rutscht am Rüssel herab. Der kleine Clif rennt zu seinen Eltern. Er ist ganz außer Atem.

So. Jetzt herrscht Ruhe auf dem Hof und die Versammlung löst sich langsam auf.

Als wir im Auto sitzen und heimfahren, frage ich Edy, ob er das Ganze nicht hätte aufhalten können. Er kratzt sich am Kopf und murmelt „Schwierig … sehr schwierig".

Bevor ich herausplatze, drehe ich mich kurz zu Lilith um. Sie schläft selig.

Ich dämpfe meine Stimme, jedoch ist eine gewisse Schärfe erkennbar:

„Sie kann nicht bei mir bleiben. Sie gehört in ihre Welt. Nur sind Luz und Hel nicht auffindbar und Loki rüstet zum Feldzug."

Meine Eltern sind besorgt, Sannoo ebenfalls. Eigentlich sind wir alle besorgt. Aus gutem Grund. Aus vielerlei Gründen.

Lilith liegt im Bett und schläft nach dem aufregenden Tag heute. Würde ich auch gern. Doch wir halten Kriegsrat. Estella und Taruk, mein Wolfsfreund und auch Feadona, meine persönliche Fee, sind wie verabredet bei mir aufgetaucht, als hätte ich sie alle zu einer bestimmten Uhrzeit eingeladen.

Auch nach Stunden haben wir keinen vernünftigen Plan. Das Problem ist wirklich, dass Hel und Luz nicht auffindbar sind. Wenn ich daran denke, werde ich schon wieder wütend. Wo bleibt ihr Verantwortungsgefühl? Ihren Sprössling einfach bei mir abgeben und sagen „du machst das schon".

Wir sind alle verstummt und Edlony sagt in die Stille hinein:

„Ich könnte Lilith mit in die Lampe nehmen. Da wäre sie relativ sicher."

In die Lampe mitnehmen? Und wer passt dann auf die Lampe auf? Soll ich sie mir etwa um den Hals hängen? Außerdem wundert es mich sehr, dass sich Edlony diese Aufgabe zutraut. Lilith ist nicht einfach zu händeln und mir schwant, dass, je älter sie wird, es immer schwieriger mit ihr werden wird.

Großer Auftritt

Wir haben nicht viele Möglichkeiten, um Lilith sicher unterzubringen. Und „sicher" ist nicht das Wort, das ich wählen würde, bei den Möglichkeiten, die wir haben. Vielleicht wäre relativ sicher eine gute Beschreibung. Die Möglichkeiten Loki`s sind schier unbegrenzt, um sein Unheil und seine Wut auszuleben.

Als Edlony und ich am Abend im Bett liegen, frage ich ihn:

„Wie können wir die Lampe schützen? Dein Vorschlag in allen Ehren – doch die Lampe – du weißt sicherlich am besten, wie fatal es wäre, wenn sie in die falschen Hände gerät!"

„Ja. Das stimmt. Es gäbe da schon ein bisschen eine Lösung – noch nicht hundertprozentig, doch immerhin ..."

Ich richte mich auf und streiche meine Haare hinter die Ohren.

„Dann schieß los!" Ich bin gespannt, wie ein Flitzebogen.

„Nun," Edlony wählt seine Worte vorsichtig und spricht langsam „du könntest mir meine Freiheit schenken. Somit könnte niemand mehr über mich bestimmen. Das wäre zumindest ein Anfang."

Ich bin verblüfft. Darüber habe ich mir wirklich noch nie Gedanken gemacht. Wohl auch deshalb, weil ich gerade echt andere Sorgen habe.

Aber gut – wenn Edlony niemanden mehr verpflichtet ist und keinem mehr dienen muss, der an der Lampe rubbelt, wäre das ein großer Vorteil. Er wäre flexibel in seinem Tun und muss keine fremden Befehle ausführen. Und ich schlucke. Ob das etwas an unserer Beziehung ändern würde? Ach scheiß drauf! Wichtig ist, dass der Lampenmann sein eigener Herr ist und wir dadurch mehr Spielraum in Bezug auf die Sicherheit von Lilith haben. Und für ihn selbst freut es mich mehr, als ich sagen kann. Wer möchte denn schon Sklave sein?

Er sieht mich zärtlich an und sagt – als hätte er meine Gedanken erraten, was sicherlich nicht schwer an meinem Gesicht abzulesen war:

„Es ändert sich nichts zwischen uns. Im Gegenteil. Du hast es mich nie spüren lassen, dass du rein theoretisch meine Herrin bist."

Ich lächle ihn an und küsse seinen Mund.

„Was muss ich tun, damit du frei bist?"

„Übermorgen ist Vollmond. Es gibt einen Spruch, den du sagen musst und ich werde dabei in der Lampe sein. Das war`s dann schon."

Das hört sich einfach an. Edlony schreibt mir die Zeilen auf, die ich sagen muss, damit ich sie bis zum Vollmond auswendig lernen kann.

Ich spüre wie aufgeregt er ist. Eine innere Elektrizität schwingt in ihm, pulsiert und ist sichtbar.

Der Lampenbewohner liegt neben mir mit geschlossenen Augen und murmelt:

„Ich danke dir Neria, von Herzen. Das wollte noch niemals jemand tun für mich."

Und nach einem kurzen Zögern fügt er hinzu:

„Vielleicht wird es uns einmal nützlich sein im Kampf gegen Loki. Es ist ein Gefühl, mehr nicht."

Und so stehen wir bei Vollmond auf meiner Dachterrasse. Die Lampe mit Edlony darin steht vor mir auf einem Tisch. Ich zünde eine Kerze an und sage die Worte, die ich jetzt im Schlaf aufsagen könnte:

Ich, die Herrin der Lampe
schenke der Lampe und seinem Bewohner
die Freiheit
in alle Himmelsrichtungen und
für die Ewigkeit
so soll es sein
dies ist mein Wunsch

Vocat vobis liberium
Illic est potestas nulla tibi erit ligatum
nunc et semper

Kurz darauf kommt meine geliebte Rauchsäule aus der Lampe geraucht. Er nimmt mich in die Arme und drückt mich derart fest, dass ich meine Arme auf seine Brust stemme, bevor er mich vor lauter Begeisterung zerquetscht. Ich kann ihn gut verstehen. Jeder sollte nur sich gehören.

Dann, eines nachts, wache ich auf. Edy ist nicht neben mir und ich stehe auf, um zu schauen, wo er ist.

Er sitzt in der Küche und unterhält sich mit Luz. Meine Flügel machen große Löcher in mein Nachthemd und ich hebe meine Hände, während ich auf Luz zu steuere.

Beide Männer schauen mich gebannt an, wobei Luz im nächsten Moment aufjault, als der Lichtstrahl, der aus meinen Händen kommt, auf ihn trifft.

„Du Hundesohn", zische ich „Du Ausgeburt der Hö.....", dann verstumme ich. Schlechte Wortwahl.

„Was tut ihr hier?" Ich bin mega wütend. Luz hat echt Nerven, hier aufzukreuzen, als wäre alles in bester Ordnung.

„Liebling," Edlony versucht mich zu beruhigen „Er kam, um uns zu warnen und um Lilith zu sehen. Loki ist bereits in unserer Welt hier und plant seinen nächsten Schachzug. Luz und Hel mussten sich verstecken und ihr Kind bei dir zurück lassen. Wenn Loki alle drei auf einmal fände, wäre es nicht auszudenken, wohin das führen könnte."

Ich ziehe einen Stuhl unter dem Tisch heraus und setze mich zu den beiden Männern. Ob das die richtige Bezeichnung ist? Doch Männer sind sie ja irgendwie, wenn auch in ihrer Art ein wenig anders und besonders. Darüber mache ich mir jetzt aber wirklich keine Gedanken.

„Ja und nun?" frage ich.

Luz ergreift das Wort:

„Ich wollte Lilith sehen. Keine Angst, sie hat mich nicht gesehen. Sie hat tief und fest geschlafen. Hel macht mich wegen ihr halb wahnsinnig. Meine Kleine ist groß geworden und Edlony hat mir erzählt, dass sie über gewisse Talente verfügt." Dabei strahlt er wie ein Stabhochspringer, der die zehn Meter geschafft hat.

„Hel wird begeistert sein!" fügt er noch hinzu und dann „Es ist eine gute Idee, dass Lilith in der Lampe relativ sicher ist. Was Loki vor hat ist nicht berechenbar. Doch wenn alles vorbei ist, holen wir unsere Tochter."

Das ist ja super! Wenn alles vorbei ist! Tolle Idee. Und wer macht die ganze Arbeit??

Luz spricht in meinem Kopf mit mir:

„Es tut mir leid Neria. Wirklich. Hel und ich können nicht kämpfen. Nicht hier und jetzt. Wenn es uns nicht mehr gäbe, würde die Balance in der Welt, in allen Welten, fehlen und unser Kind hätte keine Eltern mehr. Glaub mir, es zerreißt uns förmlich, dass wir dir die Verantwortung in diesem Drama überlassen müssen."

Meine Miene ist säuerlich, als ich ihm in die Augen schaue. Doch ich nicke.

Tag X

So vergehen die Tage und Wochen. Das Leben plätschert dahin und Lilith entwickelt sich prächtig. Vielleicht etwas zu prächtig. Sie ist stur wie ein Panzer und mit den Talenten, die ihr zur Verfügung stehen, eine wirkliche Herausforderung.

Lilith weiß, dass sie nicht mein Kind ist. Und sie weiß, wer ihre wirklichen Eltern sind. Sobald sie es verstehen konnte, habe ich ihr den Sachverhalt erklärt. Lilith ist weit für ihr Alter. Auf mich macht sie den Eindruck, dass sie bei weitem noch mehr versteht. Es beeindruckt sie in keinster Weise.

Oft sehe ich ihr zu, wie sie spielt. Sie ist manchmal emotionslos, kühl und völlig konzentriert auf ... sich selbst. Wenn ich ihrem Blick in dieser Gefühlslage begegne, bekomme ich eine Gänsehaut.

Andererseits kann sie auch sehr lieb sein. Wir knuddeln und schmusen zusammen, weil ich das erstens gern tue und mir auch vorstelle, dass es für ein Kind ungemein wichtig ist, Zuwendung und Zärtlichkeit zu erfahren. Natürlich und insbesondere für ein Kind, dessen Eltern in einer anderen und sehr düsteren Welt leben.

Wenn Taruk bei mir ist, fetzen sich die beiden schon mal ziemlich heftig. Da fliegt dann schon mal eine Handvoll Fell durch die

Luft oder ein paar schwarze Haarsträhnen. Taruk beruhigt mich, wenn ich dem Treiben voller Sorge zusehe. Sie ist so, meint er. Ja, da mag er schon recht haben. Trägt aber nicht zu meiner Entspannung bei.

Ich hab Lilith wirklich lieb gewonnen, doch sie wird mir immer ein wenig fremd sein und bleiben. Meine Welt sieht anders aus. Das krasse Gegenteil halt.

Lilith ist schnell beleidigt und Kritik verträgt sie ehrlich gesagt gar nicht. Die muss ich gut verpacken.

Wenn ich Edlony frage, wie er mit ihr zurechtkommt, fängt er an zu strahlen und meint nur „bestens". Ich habe schon bemerkt, dass die beiden ein Herz und eine Seele sind. Bei ihm gibt es kein Geheule und Getrotze. Ich hab keine Ahnung, wie er das anstellt.

Mittlerweile ist es Herbst geworden und Lilith`s Entwicklung verlangsamt sich etwas. Sie sieht etwa wie 16 Jahre aus, wobei tatsächlich erst drei Jahre seit ihrer Geburt vergangen sind. Sie ist sehr hübsch. Ihre dunklen Locken ringeln sich ihren Rücken hinunter und ihre Haut ist weich und ebenmäßig. An ihrem Mund lässt sich meiner Meinung ihre Aufmüpfigkeit erkennen und sie hat eine fabelhafte Figur. Zum Glück sind ihre Teufelshörnchen dank ihrer üppigen Haarpracht nicht zu erkennen.

Jeden Tag, seit dem Luz bei uns in der Küche gesessen hat und uns gewarnt hat, warte ich auf Loki. Es ist zermürbend und doch habe ich mich auch daran gewöhnt.

Dann eines Nachts wache ich auf. Feadona schwirrt vor meinem Gesicht und ihre Flügel bewegen sich in Turbogeschwindigkeit. Ein heller Lichtstrahl, der direkt durch die Decke zu kommen scheint, erhellt ihre kleine Gestalt.Wenn sie auftaucht, ist es wichtig.

Sie setzt sich vor mich auf die Bettdecke. Edlony ist heute Nacht nicht bei mir. Er ist unterwegs.

Feadona hebt ihren kleinen Zeigefinger und ihre Stimme ist wie ein Sonnenstrahl oder wie der Wind, der durch die Blätter eines Baumes streicht – sanft und hell, aber eindringlich:

„Es ist soweit meine Liebe! Er ist da! Seid auf der Hut!"

„Hallo Fea", sage ich „Wir wissen es. Es ist spürbar. Wir haben unsere Vorkehrungen getroffen, beziehungsweise sind dabei. Danke du Süße!"

Sie bleibt noch eine Weile bei mir und wir plaudern. Es fällt mir schwer, mich zu konzentrieren, doch ich lache hin und wieder mit der kleinen, entzückenden Feadona.

Am nächsten Tag sitzen der Lampenbesitzer und ich beim Frühstück. Edlony kam spät in der Nacht von seinem Ausflug zurück.

Leider hatte die Türglocke keine Chance auch nur einen Ton von sich zu geben, denn die Haustüre wird grob und unter lautem Krachen, eingetreten.

Es geht los! Edlony fasst nach meiner Hand und hält sie fest. Wir stehen wie zwei Leuchttürme in der tosenden Brandung und warten.

Dann steht Loki vor uns. Ein unkontrollierter, tobsüchtiger Gott. Die Magie umschwirrt ihn, wie ein Kolibri den bunten Blütenkelch. Mir wird schlecht.

Edlony steht bereits in Flammen und meine Flügel waren nicht mehr zu bremsen. Loki stutzt einen Moment, als er uns so sieht und dann spuckt er seine Worte aus:

„Wo sind Luz und meine treulose Tochter? Verdammt! Ihr werdet alle nicht ungestraft davon kommen!"

Wir sagen nichts dazu. Was denn auch?

„Nichts zu sagen, wird euch nur noch weiter ins Unglück stürzen. Ihr werdet all das noch bereuen!"

Da werde ich wütend. Edy will mich zurück halten, doch ich gehe auf Loki zu.

Der spuckt schon weiter große Töne:

„Wo ist der Sprössling aus der Unterwelt? Wo ist der Bastard von den beiden? WO??" Seine Stimme überschlägt sich fast.

Ich richte meine Handflächen auf ihn und es zischt gewaltig. Loki weicht einen halben Schritt zurück. Dann pustet er mich einfach an die Wand und ich klatsche dagegen wie ein Schneeball. Sofort ist Edlony bei mir und hilft mir auf. Meine Rippen schmerzen und meine Flügel sind etwas lädiert. Edy steht in Flammen, doch ich halte ihn am Arm zurück. Wir müssen weiter pokern.

Als Loki uns wieder nervt mit der Frage nach Lilith, schauen Edy und ich reflexartig auf die Lampe, die auf dem Küchentisch steht. Sofort wenden wir den Blick ab, doch Loki zählt eins und eins zusammen. Und anscheinend kennt sich die Götterplage in den Märchen von 1001 Nacht gut aus. Woher sollte er sonst wissen, was es mit der Lampe auf sich hat und dass Edy ein Lampengeist ist?

„Ich weiß alles!", sagt Loki da im feierlichsten Ton und dann: „Sag ihm", und er zeigt bei seinen Worten auf Edlony „Er soll sofort in der Lampe verschwinden. Los, mach schon! Dann wird euch nichts geschehen."

Ich schaue Edy verzagt an und er nickt unmerklich. So war das nicht geplant. In einer Rauchsäule verschwindet mein Geliebter in der Lampe. Und sofort greift Loki nach der Lampe und ich stelle mich ihm in den Weg. Mit einem leichten Handstreich wischt er mich wieder beiseite, wie ein lästiges Insekt und ich knalle erneut an die Wand, so dass alle Teller und Tassen im Schrank ein kleines Lied anstimmen. Mein Kopf brummt und meine Rippen tun höllisch weh.

Erst als Loki im Laufschritt durch die zerborstene Tür entwischt ist, erscheinen mein Vater und Eligor auf der Bildfläche. Beide sind in höchster Alarmbereitschaft. Ich quetsche zwischen meinen Zähnen leise hervor:

„Zu spät. Er ist weg und hat die Lampe mitgenommen. Mit Edlony drin."

Ich schluchze und selbst das tut meinen geschundenen Rippen weh. Mein Vater hilft mir beim Aufstehen und streicht mir über die Wange.

„Wir fahren auf die Farm. Deine Mutter ist krank vor Sorge und Sannoo hat das gute Geschirr an die Wand geklatscht."

Feadona schwirrt auch gerade durch die kaputte Türe, obwohl ich die rote Trillerpfeife nicht benutzt habe. In eine rote Trillerpfeife zu pusten – Herr im Himmel – dafür hatte ich gerade wirklich keinen Gedanken übrig. Doch ich freue mich, meine persönliche Schutzfee zu sehen, winke jedoch ab. Das Kind ist bereits in den Brunnen gefallen.

Meine Schmerzen werden bald vorüber sein, das war schon immer so. Das ist die Hälfte Engel in mir. Feadona bläst ihren Feen-Atem auf mich und der wird ein Übriges tun.

Schade, dass die Truppe, die uns zur Hilfe eilte, leider zu spät eingetroffen ist. Schlechtes timing.

Keiner konnte verhindern, was geschah. Ich bin todtraurig, habe Angst um Edlony. Auch wenn es in etwa unserer Planung entsprach, so bin ich jetzt nicht mehr so sicher, dass es ein guter Plan war. Es war nicht vorgesehen, dass Edlony in der Lampe ist, wenn Loki sie mitnimmt. Aber ihm blieb nichts anderes übrig, um den Plan nicht zu gefährden. Oh mein Gott!

Auf der Farm stürmt mir sofort Taruk entgegen. Ich grabe meine Finger in sein Fell und er leckt meine heißen Tränen von meinem Gesicht.

Meine Mutter und Sannoo stehen neben dem Auto, als wir aussteigen. Eligor hilft mir aus dem Wagen. Trotz magischer Heilung schmerzen meine Rippen und ich kann kaum atmen. Ich glaube fast, dass ein paar meiner Rippen gebrochen sind. Mum presst eine Hand auf ihren Mund und ihre Augen füllen sich mit Tränen.

Ich schaue Sannoo fragend an und sie antwortet mir in meinem Kopf:

„Sie ist in Sicherheit, die Kleine. Ist bei Wally und Rübezahl. Er kann so wunderbar mit ihr umgehen. Und Clif ist völlig verrückt nach Lilith und die beiden spielen den ganzen Tag zusammen, bis sie sich in die Wolle kriegen und die Fetzen fliegen."

So nicke ich beruhigt. Dann gehen wir ins Haus. Wir müssen überlegen, was jetzt zu tun ist. Ich bin so müde. Unendlich müde und ich wünschte, Edlony wäre an meiner Seite und Loki in seiner Götterwelt auf nimmer Wiedersehen verschwunden. Was nützt mir jetzt schon meine Magie?

Edlony

Das war ja nun so nicht geplant von Neria und mir. So ein Mist. Um Loki nicht misstrauisch zu machen, musste ich leider in der Lampe verschwinden.

Neria und ich haben den Götterhalunken gut eingeschätzt. Auf die Frage von ihm, wo Lilith ist, haben wir auf die Lampe gesehen und sofort den Blick abgewendet. Und wir haben richtig vermutet, dass Loki angenommen hat, seine Enkelin befindet sich in der Lampe. Soweit, so gut. Das haben wir prima hinbekommen.

Dass Loki dann verlangt hat, ich soll in die Lampe – nun, damit konnten wir ja nicht rechnen. Mir ist schon klar, was Loki von der Lampe und mir erwartet. Nur dumm, dass Neria mir schon meine Freiheit geschenkt hat. Das weiß der Götterfunken noch nicht. Ich bin ehrlich auf sein Gesicht gespannt. Das ist auch das Einzige, was mich an der Geschichte freut.

Ich gehöre mir selbst und sonst niemanden. Leider habe ich noch das Problem, dass ich nicht weiß, wie ich zurück zu Neria komme. Aber kommt Zeit kommt Rat.

Jetzt heißt es erst mal abwarten, bis Loki an der Lampe rubbelt, um mein neuer Herr zu werden. Da wird er mächtig enttäuscht sein, schätze ich. Herrlich! Das wird ein wunderbarer Moment.

Und dann muss ich sehen, dass ich die Heimreise antrete. Ich habe leider keine Ahnung, wo Loki mich hinbringen will. Ich könnte ja schon mal einen Blick aus der Lampe riskieren, aber das würde mir unter Umständen meinen großen Auftritt vermasseln.

Ich hab es ja gemütlich in meiner Lampe und wenn ich es nicht will, kommt da kein anderer hinein.

Wenn ich es mir recht überlege, ist trotz der momentanen fatalen Situation, mein langes Leben endlich an einen Punkt angekommen, der mich glücklich macht. Ein Lampengeist zu sein, vor allem, wenn man einen Herrn oder eine Herrin hat, ist nicht immer das wahre Zuckerschlecken. Ein Wunsch hier und ein Wunsch da! Viele sind da unersättlich. Also ich habe die Nase gestrichen voll davon! Neria ist da die Ausnahme. Dass sie mich gefunden und befreit hat, ist mein Glück gewesen.

Ach Neria! Wenn ich an sie denke, könnte ich glatt meine Lampe sprengen vor Glückseligkeit. Ihr Vater ist ein Engel und ihre Mutter ein Mensch. Irgendwann muss sie mir mal die ganze Geschichte erzählen. Bisher kamen wir da nur sehr begrenzt – aus bekannten Gründen - dazu.

Wenn sie ihre Flügel ausfährt ist das der Hammer! Sie ist wunderschön, doch mit ihren schneeweißen Flügeln bringt sie mich schier um den Verstand.

Ich hause schon schätzungsweise über tausend Jahre in der Lampe. Woher ich komme? Ich habe ehrlich keine Ahnung. In tausend Jahren vergisst man ja schon so einiges. Im Übrigen hat die Lampe mich schon an Orte und zu … Kreaturen gebracht, da möchte ich in den nächsten tausend Jahren nicht wieder hin. Ich glaube, Loki wird diese Liste noch ergänzen. Die Lampe beherbergt ihr eigenes Universum.

Und natürlich gab es auch wunderbare Begegnungen und Orte, wie ich sie noch nie gesehen habe und die ich auch nie vergessen werde. Ich habe Orte kennen gelernt, in denen in völliger Harmonie und gesellschaftlicher Gleichstellung gelebt wurde. Ein Wort für Stress oder Krieg gab es dort nicht. Dieses Miteinander wurde getragen von Wertschätzung und Respekt.

Mittlerweile kann ich mir Vergleiche erlauben. Das Universum ist voll von Wundern, wobei ich nebenbei erwähnen darf, dass ich eines davon bin. Ich bin darauf nicht stolz, denn wie schon erwähnt, habe ich keine Erinnerung an meinen „Anfang". Irgendwann haben die tausend Jahre einfach begonnen und ich war ihr Hauptdarsteller.

Doch zurück zu den gegenwärtigen Problemen und Missständen. Ich kann derzeit nichts anderes machen, als verschiedene Szenarien geistig durch zu spielen und zu warten, bis mich Loki aus der Lampe beordert, weil er meint, das zu können. Wie gesagt, seit dem ich ein freier Lampengeist bin, könnte ich jederzeit hinaus. Doch scheint es mir klüger, einfach abzuwarten. Vielleicht fordert es ihn auch heraus, wenn ich nicht auf der Bildfläche erscheine.

Ich weiß, dass Neria verzweifelt sein wird, da ich in der Lampe hocke. Da ist unser Plan etwas aus dem Ruder gelaufen. Aber so ist das Leben: plane und es kommt eh anders.

Gott sei Dank ist das Höllenkind, die süße Lilith, in Sicherheit. Wenn es eng werden sollte, haben sich die Einhörner und auch Rübezahl mit dem Mammut angeboten, fort zu gehen und Lilith mitzunehmen, bis die Luft wieder rein ist. Ich hoffe, dass es nicht soweit kommen wird.

Der Sandalenmann

Meine Güte – in dieser Familie ist ja wieder allerhand los! Fast hätte ich gesagt „… der Teufel los!" Aber das träfe den Nagel derart auf den Kopf, dass es schon nicht mehr lustig ist. Sie haben mich schon immer auf Trab gehalten und im Schuhladen „Himmel & Hölle" von Neria`s Eltern bekomme ich jederzeit genügend Nachschub an Sandalen für all meine Wege. Umsonst versteht sich. Irgendwie sind die vielen zusätzlichen Wege schließlich auch ihr Verdienst. Wobei Verdienst wirklich nicht das richtige Wort dafür ist. Andererseits eigentlich doch. Ach, es ist verwirrend. Selbst für mich.

Doch ich liebe sie alle. Von ganzem Herzen. Ich hab auch schon jede Menge Spaß mit ihnen gehabt. Sally, der Engel wurde von Paps vor vielen, vielen Jahren zu Neria`s Mutter Glöckchen und Sannoo geschickt, um auf sie aufzupassen. Luzifer`s Höllenfeuerchen schlugen damals allzu hohe Flammen. Eine wirklich schlechte Angewohnheit von Luz. Früher war er ja mal anders, als er noch ein Engel war. Und dann ist er irgendwann mal gefallen und wollte sich von keinem aufhelfen lassen. Ja was soll man da machen? Paps meint, das ist schon so in Ordnung. Zwecks Gleichgewicht und so. Naja. Ich meine ja immer, dass es auch einfacher gehen würde. Da stimmt Paps mir dann zu, sagt jedoch, dass seine Schöpfung, so wie sie ist, schon passt.

Neria hat sehr oft gerufen nach mir, seit dem Luz bei ihr aufgetaucht ist. Kann ich auch verstehen. Wir haben viel miteinander gesprochen. Neria weiß natürlich, dass ich und all die anderen immer bei ihr sind und ihr helfen und sie unterstützen, soweit es möglich ist und wir damit nicht in Papas Plan eingreifen.

Die derzeitige Situation ist nicht einfach. Zugegeben. Doch was ist schon einfach im Leben – das höre ich immer wieder. Die Ansichten von Paps sind da sehr klar und deutlich. Er liebt alle seine Geschöpfe bedingungslos. Deswegen erlaubt er ihnen auch eine Menge Quatsch und Unheil anzurichten. Müssen sie ja selber wieder ausbaden.

Und Neria wird ihren Weg finden. Nicht, weil sie ein halber Engel ist. Oh nein. So gesehen sind alle Menschen halbe Engel. Es steckt immer ein Funken von Paps in ihnen. Neria hat halt noch Flügel und ein paar Extras bekommen. Papa hat die Menschen nach seinem Ebenbild erschaffen. Das sagt doch eigentlich alles, oder?!

Ich bin immer in ihrer Nähe. Doch ihre Entscheidungen muss sie alleine treffen. Und die kleine Lilith hat durch ihr Geburtsrecht eine Menge an Ungemach mit in die Wiege gelegt bekommen. Doch die

Zeit mit Neria wird sie ebenfalls prägen. Das wird noch sehr interessant werden in den nächsten Jahren.

Jaja. Papas Geschöpfe machen gern uns verantwortlich für alle ihre Unannehmlichkeiten. Bis jetzt haben es viele noch nicht verstanden, dass sie selbst Schöpfer ihres Lebens sind. Jedoch werden wir sie nie verlassen und immer beschützen, so wie es in unserer Macht liegt und der große Plan es erlaubt.

Doch es wird nie aufhören – das Leben findet immer einen Weg. Und wer ihn freudvoll und im Vertrauen mit uns geht, wird bei seinem Weg wachsen und erwachen.

Sind Sie auch so gespannt, wie es weiter geht? Also ich schon.

Loki

Viele Pläne habe ich geschmiedet und meinem Zorn dabei freien Lauf gelassen. Meine Tochter ist ein Miststück und ihr Lover, der Teufel überbietet sie noch darin. Er hat sie mitgenommen aus Helheim und sie auch noch geschwängert.

Aber nicht mit mir!!! Mit mir nicht!!! Ich werde sie finden und zurück holen und dann kann sie die nächsten fünfhundert Jahre um Gnade winseln. Und für Luz, diesen Höllenclown, werde ich mir was ganz besonderes ausdenken. Er wird mich nie wieder vergessen.

Natürlich muss ich gerechterweise sagen, dass der Sprössling von den beiden ja nichts dafür kann, dass er so desaströse Eltern hat. Ich werde mir den Abkömmling unter den Nagel reißen und es erziehen. Darum werde ich mich persönlich kümmern. Freiwillig werden sie mir das Kind niemals geben, so werde ich es mir eben holen.

Meine Tochter, das undankbare Geschöpf wird noch bereuen, was sie mir angetan hat. Ich bin ja schließlich Loki und aus der Welt der Götter fliehen ist das eine – aber Hel hat Helheim schlichtweg im Stich gelassen! Das ist unverzeihlich.

Sich mit dem Teufel einlassen, ist das andere und lässt mich an ihrem Verstand zweifeln. Dass die beiden auch noch ein Kind erschaffen haben, bestätigt mir, dass alle beide keinen Verstand haben.

Wer jetzt meint, in meiner Vergangenheit graben zu müssen, dem sei gesagt, dass nicht ICH hier zur Debatte stehe. Und ich hatte immer Gründe für meine diversen Affären! So ist das.

Nun. Jetzt werde ich mich mal der Lampe zuwenden und meinem Enkel darin. Sie dachten, sie könnten es vor mir verbergen, dass das Kind dort drinnen versteckt ist. Vor mir kann man nichts verbergen! Ich bin nicht nur böse und spinne Intrigen mit besonderer Klasse, sondern ich bin auch äußerst gewieft. Und arrogant.

Und der Lampengeist kann mir bestimmt noch nützliche Dienste erweisen. Ich werde sein neuer Herr sein und er muss mir dienen und mein Sklave sein. Wunderbar. Da springt ein wenig Kurzweil für mich heraus.

Wie sieht's denn aus mit Happyend?

Ich liege zuhause auf meinem Bett und starre die Decke an. Was könnte ich nur tun, um Edlony zurück zu holen? Mir fällt nichts ein, absolut nichts. Ich rubble mit beiden Händen über meine Wangen, als ob ich dadurch einen Geistesblitz erhaschen würde. Sie sind sicherlich schon ganz rot. Ich drehe mich zur Seite, dort, wo sonst immer Edlony neben mir liegt. Er hat einen Pulli von sich liegen lassen und ich greife danach und presse meine Nase hinein.

Dann fliesen meine Tränen und ich bete „Lieber Gott, bitte, bring ihn mir zurück!" und ich höre eine warme, dunkle Stimme in mir, die mir antwortet „Wird schon, Geduld meine Liebe!"

Am nächsten Morgen bin ich wieder im Büro und höre mir den neuesten Klatsch von Faith an. Die Geschäfte laufen gut, es könnte besser nicht sein. Wenigstens brauche ich mir in finanzieller Hinsicht keine Sorgen zu machen.

Pola, die rassige Russin kommt auch gerade zur Tür herein und meint provokant:

„Na, wo ist das hübsche Luder mit dem dicken Bauch? Hat wohl keine Lust mehr auf ehrliche Arbeit?"

Faith blinzelt ihr zu und schüttelt den Kopf, doch für Diplomatie ist Pola entschieden die verkehrte Person.

Kraftlos meine ich „Lass es gut sein Pola, falscher Moment." Doch sie lässt nicht locker.

„Ist die Schlampe weg? Ehrlich Neria, kein großer Verlust. Ich habe mich eh gewundert, dass du sie eingestellt hast."

Ich bin zu müde, um ihr noch zu antworten und so verschwindet sie achselzuckend, als von mir keine Reaktion kommt.

Faith erläutert mir noch die Einsatzpläne der nächsten Tage, doch ich höre ihr kaum zu.

Dann stehe ich auf und sage ihr, dass ich jetzt gehen muss. Ich werde zu meinen Eltern in den Schuhladen fahren. Ich denke an Lilith und beschließe, anschließend Sannoo und die Kleine auf der Farm zu besuchen.

Als ich die Tür zum Schuhladen öffne, erschallt das bekannte, fröhliche „Halleluja". Die Türglocke ist wirklich einzigartig und lässt mich schmunzeln.

Meine Mutter stürmt auf mich zu und schließt ihre Arme um mich.

„Gibt es was Neues?" fragt sie mich und ich schüttle den Kopf.

Mein Vater ist gerade dabei einer Kundin ein Paar Schuhe anzuprobieren. Er dreht sich kurz zu mir und wirft mir eine Kusshand zu.

Ich gehe mit meiner Mutter zur Kaffeeecke und sie wirft die Kaffeemaschine an. Die blubbert auch schon und verströmt wundervollen Kaffeeduft.

„Du machst dir große Sorgen um deinen Lampengeist?" beginnt sie und fährt dann fort „Ich glaube, dass dein Edy sich schon zu wehren weiß. Hab Vertrauen zu ihm."

„Ja Mama" erwidere ich „Ihm vertraue ich schon, nur nicht dem verdammten Loki."

Paps hat die Kundin gerade zur Tür hinaus begleitet und kommt auf uns zu und meint gutgelaunt:

„Sie hat zwei Paar unserer teuersten Schuhe gekauft. Sie waren aber auch wie für sie gemacht." Er schnalzt mit der Zunge und sieht in unsere kummervollen Gesichter und seine Freude verfliegt.

„Ich weiß aus zuverlässiger Quelle, dass Loki immer noch hier in unserer Welt ist. Er wird bald kommen, spätestens dann, wenn er merkt, dass ihr ihn verschaukelt habt und die Kleine nicht in der Lampe ist."

„Ja Paps, ganz sicher sogar. Denn wir haben ihn noch mehr verschaukelt. Ich habe Edlony die Freiheit geschenkt und so kann ihn niemand mehr an die Lampe und an sich binden. Wenn Loki das auch noch heraus findet, wird er platzen."

Meine Mutter hat eine Hand vor ihrem Mund, um ihr Lachen zu dämpfen. Auch mein Vater verzieht seinen Mund und fängt dann an zu hüsteln.

Leider bleibt mir das Lachen im Hals stecken. So ein blöder Mist. Ich kann nur hoffen, dass Edlony sich irgendwie aus der Affäre ziehen kann. Ich will ihn nicht verlieren, jetzt, wo ich ihn gefunden habe. Nein, das geht ganz und gar nicht. Und Lilith muss ebenfalls in Sicherheit sein. Nicht nur für ein paar Wochen oder Monate, sondern für immer. Sie ist so einzigartig.

Natürlich bedient unser Plan mit Loki auch die Lachmuskeln. Ich glaube, das nennt man Schadenfreude. Hat er aber auch verdient, das Göttermonster.

Wir trinken Kaffee und unterhalten uns. Wir vermeiden das akute Thema, nur um mal ein wenig abschalten zu können. Als die nächste Kundin in den Laden kommt, steht meine Mutter auf und geht zu ihr.

Mein Vater schaut mich derweil nachdenklich an. Er nimmt eine Hand von mir und drückt sie. Ich kann ihn in meinem Kopf hören:

„Ach Kleine, nicht aufgeben. Du weißt, dass es in der Vergangenheit schon oft brenzlig war. Dein Edy ist ein kluger Mann. Er wird seinen Allerwertesten schon vor Loki retten."

Er lächelt mich an und hält meine Hand weiterhin. Paps ist toll. Er ist ein Engel und hat etwas an sich, dass Sorgen und Ängste schrumpfen lassen, wie eine Nulldiät die Kilos. Unsere Kunden finden das auch unwiderstehlich, obwohl sie keine Ahnung haben, wer ihnen da Schuhe verkauft. Doch sie spüren die Liebe und das Licht, das er verströmt.

Hoffentlich hast du recht Papa, denke ich und da kommt schon meine Mutter zurück zu uns und setzt sich. Sie plappert sofort los und mein Vater und ich schauen uns an und denken gemeinsam, wie sehr wir sie lieben.

Nach einer Stunde gehe ich und erzähle ihnen, dass ich noch bei Sannoo vorbei schauen will. Sie nicken beide und gehen mit zur Tür, wo ich vom tönenden „Halleluja" der Türglocke hinaus begleitet werde.

Gerade, als ich ins Auto steige, ruft mich Faith auf dem Handy an und sagt, dass hier jemand auf mich warten würde. Bestimmt wieder Luz, denke ich mir und sage Faith, dass ich gleich da bin.

Als ich im Büro ankomme nickt Faith mit dem Kopf auf die Besucherecke und ich erstarre.

Da sitzen zwei Männer im schniekefeinen Versace-Anzug und schauen mich rauborstig an. Der eine noch etwas mehr als der andere.

„Wir gehen in meine Wohnung!" Mein Mund ist trocken und ich versuche ruhig zu bleiben. Faith nickt und wirft mir dabei einen alarmierenden Blick zu und die beiden in ihren feinen Anzügen stehen auf und gehen hinter mir her.

Von Luz fange ich Worte in meinem Kopf auf:

„Tut mir leid Neria. Ich kann nichts dafür. Er tauchte stinksauer bei mir auf und zwang mich mitzukommen. Er sagte, er hat Lilith. Da blieb mir nichts anderes übrig."

Und ich feuere zurück:

„Scher dich zum Teufel Luz!!!" und ich höre in meinem Kopf sein verzweifeltes Lachen.

Kaum sind wir in meiner Wohnung, fasst mich Loki grob am Arm. Er zieht seine Hand jedoch sofort zurück, als er merkt, wie weh

ihm die Berührung tut. Es zischt mächtig und sein Groll wächst weiter an. Luz hebt die Augenbrauen und scheint amüsiert.
Loki fasst in seine Jackentasche und zieht die Lampe heraus und stellt sie mit einem Knall auf den Tisch.

Seine Worte sind so giftig wie ein Fliegenpilz:

„Der verdammte Lampengeist will nicht um alles in der Welt da heraus kommen. Er sagt aus der Lampe raus, dass kann ihm nur seine Herrin befehlen. Und das Kind will er mir auch nicht heraus geben! Also tu was!"

Loki ist mehr als empört und ich muss mir jetzt nun wirklich das Lachen verkneifen.

Mein Vater und meine Mutter hatten verdammt recht gehabt, dass Edlony sich zu helfen weiß. Ich tue erstaunt, denn außer meinem Lampenmann und mir weiß hier niemand von den diversen Vorbereitungen, die wir getroffen haben.

„Bisschen armselig findest du nicht?", frage ich Loki „Der große Gott der Intrigen braucht Hilfe."

Ich verschränke meine Arme vor der Brust und mustere ihn abschätzend. Meine Flügel haben mal wieder mein Oberteil ruiniert, doch was soll`s?

„Warum sollte ich das tun?" mein Blick ruht auf ihm wie auf einer Kakerlake. Und Loki verwandelt sich vor unseren Augen abwechselnd in eine große grüne Schlange mit schwarzen listigen Augen und dann ist er wieder Loki in menschlicher Gestalt. Das passiert in Zeitraffergeschwindigkeit und ist echt gruselig.

Und Loki keift volles Rohr:

„Ich werde sonst deinen Eltern und der blöden Sannoo sehr wehtun. Ganz einfach."

Meine Güte, ist der Typ erbärmlich und ich höre Luz in meinem Kopf, dass ich es nur nicht übertreiben soll.

Ich tue so, als würde ich darüber nachdenken, was er gesagt hat. Dann entschließe ich mich für ein „na gut" und rubble an der Lampe und sage im feierlichsten Ton, der mir zur Verfügung steht:

„Deine Herrin befiehlt dir die Lampe zu verlassen!"

Und wupps steigt eine Rauchsäule aus der Lampe empor und vor uns steht Edlony. Er grinst mich an und ich schüttle kaum wahrnehmbar den Kopf.

Mein liebster Lampenmann sagt nun geringschätzig zu Loki:

„Eure Gottheit in allen Ehren, aber du kannst mich mal!"

Loki übergeht die giften Worte von Edy und sagt zu mir:

„Ich möchte der neue Herr von ihm werden und dann gehört die Kleine mir!"

Luz ist gerade dabei, sich aufzuplustern und aus seinen Ohren und seiner Nase steigt schon ein wenig Rauch auf, als ich ihm ohne Worte zurufe „Halt jetzt einfach nur die Klappe!"

Mein Kinn ist weit vorgeschoben und ich muss mich sehr zusammen reißen, als ich ihn anblaffe:

„Das geht nur, wenn du in die Lampe mit reingehst. Musste ich auch. Es ist ein Ammenmärchen, dass man nur rubbeln muss! Er muss dich mit reinnehmen und dann bist du sein neuer Herr und er muss alles tun, was du von ihm verlangst."

„Dann los!!!" schreit Loki und Edlony tippt seine Schulter an und dann verschwinden beide als Rauchsäule in der Lampe.

Luz sieht mich verständnislos an und ich erkläre ihm leise den Sachverhalt, nämlich dass Edy ein freier Mann oder Geist ist und ich ihm schon vor einiger Zeit die Freiheit geschenkt habe.

Als ich einmal mit ihm in der Lampe war, hat er mir erzählt, dass nur jemand mit hinein und auch wieder heraus kann, wenn er, also der Lampenbewohner, das auch möchte. Luz hört gebannt zu.

Fassungslos meint dann der Teufel, dass wir schlimmer wären als er. War das jetzt ein Kompliment?

Ich denke, mit diesem Arrangement kann Edlony was anfangen. Wir hören es einmal kurz rumpeln in der Lampe und dann steigt erneut Rauch aus der Lampe in einer geraden Rauchsäule auf und Edlony steht vor mir und zieht mich in seine Arme und küsst mich heftig auf den Mund.

„Du bist wundervoll!", sagt er immer wieder zwischendurch, wenn er Luft holt und ich grinse selig. Bis Luz unsere Zweisamkeit mit angsterfüllter und zorniger Stimmer unterbricht:

„Habt ihr sie noch alle?? Was ist mit Lilith? Sie ist bei ihm da drinnen. Ja seid ihr denn völlig bekloppt? "

Und Edlony beginnt zu lachen bis Tränen über seine Wangen laufen und ich erkläre Luz glucksend:

„Glaubst du wirklich, dass wir so blöd sind, den Wolf zu den Schafen zu lassen? Lilith ist selbstverständlich nicht da mit ihm drinnen. Sie ist in Sicherheit."

Und Edlony ergänzt:

„Und Loki ist ebenfalls in Sicherheit. Da kommt er nicht mehr heraus, außer ich lasse ihn. Und rubbeln kann da einer, bis die Lampe glüht – das bringt nichts, weil ich immer noch der Herr der Lampe bin."

Luz scheint beeindruckt zu sein. Recht so. Ich finde auch, das haben wir wunderbar gemacht. Er möchte unbedingt wissen, wo seine Tochter ist und ich sage ihm, dass wir ihn bald zu ihr bringen. Jetzt brauche ich Zeit und Ruhe und die will ich nur mit Edlony verbringen.

Zähneknirschend willigt Luz ein und ich sage ihm, er soll sich in ein paar Tagen bei mir melden, dann können er und Hel ihre Tochter mitnehmen.

Richtiges Happyend

Wir treffen uns alle bei Sannoo auf der Farm. Die ist nämlich schön abgelegen und wir haben keine neugierigen Gaffer.

Hel und Luz sind schon da, als wir eintreffen. Hel sieht wirklich gut aus, aber schön war sie ja schon immer.

Sie stehen mit Eligor und meiner Patentante auf dem Hof und unterhalten sich. Wenn man nicht wüsste, wer das ist, könnte man meinen, hier trifft sich lieber Kaffeebesuch.

Wir schlendern langsam auf das kleine Grüppchen zu. Ich habe keine Eile. Luz und Hel sollen ruhig noch eine Weile schmoren.

Hel richtet sofort das Wort an mich:

„Neria, ich … wir können dir nicht genug danken und auch allen anderen. Du denkst, ich bin kalt und liebe mein Kind nicht. Kann es dir nicht verdenken. Doch damals hätte ich nicht gehen können, wenn ich meine Emotionen nicht unterdrückt hätte. Auch eine Göttin, selbst aus der Unterwelt, liebt ihr Kind."

Ich nicke und sage nur „Jep!" Edlony hat einen Arm um mich gelegt und Eligor sagt „Na dann, wollen wir mal …" und nimmt Sannoo bei der Hand.

„Wie???" der Teufel ist sichtlich irritiert „Sie ist hier? Lilith ist hier?"

Keiner geht auf ihn ein und ich wundere mich nur, dass Luz nicht auch eine Hand von Hel nimmt oder Hel sich bei ihm unterhakt. Die beiden sind doch ein Paar. Aber was weiß ich denn schon. Meine Welt scheint sich doch in vielen Dingen von ihrer zu unterscheiden.

Wir öffnen die Stalltüre und heraus strömt der Geruch nach Stall und den Tieren. Taruk kommt schon auf mich zugehechelt und freut sich riesig, mich zu sehen. Er knurrt Luz und Hel mit gefletschten Zähnen mächtig an. Das ist eine Warnung, das ist klar und dann vergräbt er seine weiche Schnauze in meinen Händen und ich halte sie zärtlich und streiche darüber.

Beide – Hel und auch Luz – schauen sich immer wieder um, als wir die Stallgasse entlang gehen. Ihre Augen suchen jemanden, na klar. Gerade läuft Birdy, das Wichtelmännchen in eine der Boxen und lüftet seinen Hut, als er uns sieht. Er macht aber schnell, dass er weiterkommt, denn unsere Begleiter verströmen etwas, das er nicht kennt und völlig anders ist, als das, was er hier so gewohnt ist. Natürlich weiß er, wer sie sind und warum sie hier sind. Sannoo und Eligor halten ihre Lieben immer auf dem Laufenden.

Als wir an der großen Box von Wally, dem Mammut ankommen, bleiben wir kurz stehen, doch Rübezahl winkt uns weiter durch. Dann kann Lilith jetzt nur noch bei den Einhörnern sein.

Und so ist es auch.

Wir hören schon von weitem die lauten Stimmen von Clif und Lilith. Sie schreit „Ich will auch so ein Horn vorne auf der Stirn haben!" und er meint „Du hast doch schon zwei kleine auf dem Kopf" und sie wieder „Aber die sieht ja keiner.", und Clif, der praktisch denkt, erwidert „Dann schneid doch deine Haare ab!" Ich denke, es ist an der Zeit, dass wir eingreifen.

Wir öffnen die Stallbox und ich trete hinein. Als Ivory mich sieht, fällt er fast tot um, so erschrickt er und Eloise erklärt mir:

„Er hat Ohrenstöpsel in seinen Ohren, weil die Kleinen für seine Verhältnisse zu laut sind und zu viel streiten. Sie sind ja noch Kinder und müssen ihren Platz erst noch finden", meint sie verständnisvoll.

Ich gehe in die Hocke, weil Clif und Lilith gemütlich im Stroh liegen und schaue direkt in die Augen von Lilith. Und ich erkläre ihr, dass ich ihre Eltern mitgebracht habe, die sie jetzt mitnehmen werden. Lilith sagt kein Wort, verzieht ihren Mund aber trotzig. Oh weh. Das endet jetzt hoffentlich nicht in einer Katastrophe. Ich trete zur Seite und langsam kommt Hel herein, gefolgt von Luz.

Hel ist angespannt. Sie weiß nicht, wie ihre Tochter reagieren wird. Sie sagt nur leise „Lilith" und öffnet ihre Arme.

Und ich hätte mit allem gerechnet, nur nicht, dass sich die Kleine in ihre Arme wirft. Hel hat zur Hälfte wieder ihr grünes Schuppenkleid angelegt und auch Lilith tut es ihr gleich. So stehen sie da.

Luz knufft mich in die Seite und meint verdrossen:

„Und was hat sie von mir? Ich bin ja schließlich ihr Vater!"

Und ich beruhige ihn:

„Du erinnerst dich. Sie hat zwei niedliche kleine Hörnchen auf ihrem Kopf."

Und Luz kontert:

„Niedlich ist eigentlich nicht das, was ich im Sinn habe …"

Hel kommt mit Lilith aus der Box und ich höre, wie Eloise leise mit Clif spricht. Er wird jetzt seine Freundin verlieren und das ist nicht so einfach. Ivory hat immer noch seine Ohrenstöpsel drin und weigert sich auch, sie heraus zu nehmen. Er war schon immer etwas … anders.

Hel stellt Lilith vor Luz hin und sie sagt zu ihm ohne mit der Wimper zu zucken:

„Hallo Papa, wann zeigst du mir die Hölle?" und ich sehe, wie sich auf dem Gesicht des Teufels ein breites Grinsen breit macht. Das ist eine Tochter nach seinem Geschmack.

Wir gehen gemeinsam aus dem Stall in die Sonne.

„Es gibt da noch was …", sagt Edlony in die Runde „was einer Lösung bedarf." und er zieht die Lampe aus seiner Jackentasche und hält sie auf der Hand vor unsere Gesichter.

„Was machen wir damit?"

Und bevor wir auch nur einen Gedanken an die Lösung des Problems verschwenden können, greift Luz nach der Lampe und meint mit einem verträumten Lächeln „Ich kümmere mich darum. Er kann ja hoffentlich keinen Schaden da drinnen anrichten?"

Edlony schüttelt den Kopf und lächelt schief:

„Ich habe seinen Wirkungskreis in der Lampe sehr eingeschränkt. Er wird sich mit Sicherheit nicht verlaufen!" Und Edlony gluckst zufrieden bei seinen Worten.

Dann wendet Luz sich direkt an mich:

„Du hast noch was gut bei mir, du erinnerst dich sicher daran. Vergiss es nicht. Ich bezahle meine Schulden immer. Und nächstes Weihnachten und Ostern wird nichts passieren, was meine Handschrift trägt, wie versprochen. Du hast leider verpasst mir zu sagen, für wie viele Weihnachten und Ostern das gelten soll, also gehe ich jetzt von einer einmaligen Beschränkung aus." Er zwinkert mir zu, nimmt seine kleine Familie links und rechts und spaziert vom Hof.

Inhaltsverzeichnis

Neria   Seite   7

Feadona   Seite 21

Konfrontation   Seite 24

Eine neue Mitarbeiterin   Seite 45

Ausflug   Seite 55

Meine Beschützerin   Seite 73

Luz in noch größerer Not   Seite 79

Erkenntnisse   Seite 84

Überraschung   Seite 104

Das Leben gibt Gas   Seite 116

Nervenaufreibende Zeiten   Seite 124

Wie geht es weiter?   Seite 142

Turbulente Zeiten   Seite 157

Geheimnisse   Seite 167

Lilith   Seite 174

Großer Auftritt   Seite 184

Tag X   Seite 190

Edlony   Seite 198

Der Sandalenmann   Seite 202

Loki   Seite 205

Wie sieht`s denn aus mit
Happyend?   Seite 207

Richtiges Happyend   Seite 218

Wissenswertes ganz zum Schluss

Die in diesem Buch eingeflochtenen Geschichten sind entnommen aus verschiedenen anderen Büchern, die ich in früheren Jahren geschrieben habe. Es war mir ein Bedürfnis, dass ich sie hier noch einmal erzähle.

Die Vorgeschichte – wie alles begann mit Neria`s Mutter Glöckchen und Sannoo, ihrer Patentante – und alle ihre Abenteuer, sind nachzulesen in

Höllen-Alltag, Band 1 + 2

Höllen-Spiel, Band 3 + 4

Höllen-Finale, Band 5